De l'autre côté du miroir

 Collection Intime

À contre-courant, roman
Sylvie-Catherine De Vailly

Entre elle et lui, roman
Sylvie-Catherine De Vailly

L'amour dans la balance, roman
Sylvie-Catherine De Vailly

Le concours Top-model, roman
Corinne De Vailly

Trop jeune pour toi, roman
Sylvie-Catherine De Vailly

De l'autre côté du miroir

par Sylvie-Catherine De Vailly

TRÉCARRÉ

QUEBECOR MEDIA

Catalogage avant publication de Bibliothèque et Archives Canada

De Vailly L., Sylvie-Catherine, 1966-

   De l'autre côté du miroir

   (Intime)
   Éd. originale : Montréal : Éditions Trustar, © 2000.
   Publ. antérieurement sous le titre: Dans l'ombre de Sandrine.
   Publ. à l'origine dans la coll. : Collection Cool!. Drame.
   Pour les jeunes.

   ISBN 2-89568-283-6

   I. Titre. II. Titre : Dans l'ombre de Sandrine. III. Collection.

PS8593.A526D35 2005   jC843'.54   C2005-940645-3
PS9593.A526D35 2005

Nous reconnaissons l'aide financière du gouvernement du Canada par l'entremise du Programme d'Aide au Développement de l'Industrie de l'Édition pour nos activités d'édition.

Couverture : Kuizin communication studio

Mise en pages : Luc Jacques

© 2005, Éditions du Trécarré

ISBN : 2-89568-283-6

Dépôt légal - 2005
Bibliothèque nationale du Québec

Imprimé au Canada

Éditions du Trécarré
7, chemin Bates, Outremont (Québec) H2V 4V7 Canada

Chapitre 1

◆◇◆◇◆◇◆◇◆◇◆◇◆◇◆◇◆◇◆◇◆◇◆

Noémie déambulait d'un pas nonchalant dans le sombre couloir qui menait à sa chambre. Elle s'arrêta un bref instant devant un miroir accroché à mi-chemin. Malgré l'obscurité qui régnait, elle pouvait voir le contour de son visage mal défini qui dénotait un manque de caractère. La pénombre aidant, ses yeux eurent soudain un éclat de beauté, ses traits s'adoucirent, Noémie fut presque belle !

Du bout des doigts, elle se mit à dessiner le contour de ce visage irréaliste afin de mieux apprécier ce que le miroir lui renvoyait. Malheureusement, ils ne caressèrent que ce qu'elle ne connaissait

◆◇◆◇◆◇◆◇◆◇◆

que trop, un visage imparfait, ni beau ni vraiment laid !

Le miroir lui renvoya sa colère et le dégoût de sa personne. Comment la vie pouvait-elle être aussi cruelle envers elle ? Pourquoi lui donner cet intermède de douceur pour aussitôt le lui retirer, lui faire croire même un instant qu'elle pouvait être belle, alors qu'elle ne l'avait jamais été ? Elle était bien sotte d'y avoir cru, ne serait-ce qu'un court instant.

Noémie se dirigea vers sa chambre, fâchée contre elle-même d'avoir pu se duper même un si court moment. Elle alla s'asseoir à son bureau de travail surmonté d'une autre glace. D'un geste lent, elle tendit la main vers la lampe pour ouvrir la lumière, elle voulait constater que rien n'avait réellement changé ! Elle devait, une bonne fois pour toutes, arrêter de rêver. Sans vraiment le souhaiter, elle se força néanmoins à passer en revue les traits de son visage. Ses yeux bruns, pas assez foncés et trop petits, la fixaient cruellement ; son nez aquilin et sa bouche mal dessinée se démarquaient dans ce visage qui, finalement, n'était pas vraiment laid. Sa lèvre inférieure était beaucoup plus grosse que la lèvre supérieure, et même si chez certains mannequins cela représentait un critère de sensualité, chez Noémie, cette lèvre trop gourmande manquait de finesse et apparaissait, pour la jeune fille, comme une marque de vulgarité. Ses cheveux d'un châtain terne et sans éclat restaient raides malgré cette canicule qui affligeait tout le monde et qui n'en finissait pas en cette belle journée d'été.

Noémie se leva pour se déshabiller devant le grand miroir en pied accroché derrière sa porte. Lentement, elle tourna sur elle-même, scrutant d'un air critique ce corps qui était le sien. Ses jambes étaient trop courtes et légèrement arquées ; ses seins, en forme de poire, tombaient malgré son jeune âge, et sa taille était trop épaisse et mal dessinée. Sans cesser de se regarder, Noémie attrapa le long t-shirt qu'elle portait pour dormir et l'enfila.

Sans sympathie pour elle-même, elle quitta son reflet pour se diriger vers le salon. Ça faisait longtemps maintenant que la jeune fille avait abdiqué ; jamais, et elle en était pleinement consciente, jamais elle ne serait belle, jamais on ne se retournerait sur son passage, jamais elle ne ferait l'envie des autres jeunes filles de son âge.

Noémie se tenait debout devant sa fenêtre, son regard immobile analysait les habitudes des passants. Il était dix-sept heures, et la jeune fille connaissait toutes les allées et venues de la résidence d'en face.

Tout le monde était bien rentré, mais elle attendait impatiemment quelqu'un qui, fidèle à ses habitudes, était encore en retard. Nerveusement, Noémie tapait d'un rythme saccadé ses doigts l'un à la suite de l'autre sur le carreau de la fenêtre.

– Encore en retard… Que fait-elle donc ?

Mais aussitôt, le regard nerveux de la jeune fille s'immobilisa sur une silhouette qui se dirigeait vers l'immeuble.

– Enfin, te voilà ! Mais où étais-tu donc passée ? Je commençais à m'inquiéter…

Rapidement, Noémie quitta son poste d'observation pour retourner dans sa chambre, d'où elle voyait encore mieux la maison de sa voisine d'en face. Elle s'empara d'une chaise, qu'elle approcha de la fenêtre avant d'en tirer les rideaux, puis enfin le store.

– Alors, as-tu passé une belle journée ? Comment étaient tes cours, dis-moi tout…

Dans la maison d'en face, Charlie savait fort bien que sa voisine l'épiait, elle avait découvert le petit manège de Noémie depuis un bon moment déjà. Sur le coup, elle avait voulu prévenir la police, mais bien vite elle avait compris que sa voisine n'était pas dangereuse. Et secrètement, la jolie jeune fille n'était pas contre l'idée de faire l'objet de cette idolâtrie secrète. Elle trouvait cela très valorisant ! Cette étrange situation lui apportait une douce sensation.

Volontairement, Charlie ouvrit la porte-fenêtre de son balcon, sortit un instant, envoya un sourire en direction de Noémie, avant de rentrer à l'intérieur.

Intriguée, Noémie se demanda ce que sa voisine pouvait bien faire à se promener comme ça dans sa chambre. Elle vit Charlie se dévêtir pour enfiler un simple t-shirt, sans doute incommodée elle aussi par cette chaleur insupportable.

Noémie l'admirait, elle était pour elle l'incarnation même de la beauté avec ses longs cheveux bruns, presque noirs, son teint légèrement basané, ses yeux verts en forme d'amande et cette bouche parfaitement dessinée. Charlie était assez grande et très mince, et d'une élégance naturelle, même vêtue d'un simple gaminet ! Son air farouche la faisait ressembler à ces femmes berbères dominant le désert que Noémie avait vues une fois à la télévision.

Charlie disparut quelques instants et revint avec un verre de thé glacé qu'elle déposa sur sa coiffeuse, avant de s'y asseoir. Elle brossa sa longue chevelure pour tenter de la dompter, puis la remonta en chignon ; des mèches retombaient volontairement çà et là et lui donnaient une allure désinvolte.

– Tu sors encore ? lança Noémie à voix haute, tu me laisses encore seule ce soir... S'il te plaît, reste avec moi... Ne me fais pas cela !

Soudain, le bruit d'une porte qui se referme ramena la jeune fille à la réalité.

Sa mère, Michelle, rentrait de son travail. Noémie se leva et replaça sa chaise derrière son bureau, avant d'aller à sa rencontre.

– Ah ! tu es déjà rentrée... Quelle chaleur et surtout quelle moiteur, c'est insupportable ! souffla-t-elle. (Michelle s'arrêta pour regarder Noémie avant d'ajouter :) En fait, tu n'arrives jamais en retard, tu es toujours là... trop sage et trop silencieuse !

Noémie baissa la tête, elle n'avait pas envie que sa mère lui fasse encore une fois son éternel sermon sur le fait qu'elle devait se faire des amis et qu'elle devait profiter de sa jeunesse, sortir et voir le monde.

Ce discours, elle l'entendait presque tous les jours, et chaque fois Michelle lui demandait ce qu'elle avait et pourquoi elle refusait de se joindre à des jeunes de son âge. Chaque fois, Noémie voulait lui dire qu'elle était bien comme elle était, que tous les jeunes de son âge étaient bêtes et sans intérêt, et qu'aucun d'eux ne souhaitait qu'elle fasse partie de son groupe. Elle aurait tant aimé faire comprendre à sa mère qu'elle faisait l'objet de moqueries à l'école et que personne ne souhaitait devenir son amie.

Mais Michelle ne comprendrait pas, elle l'accuserait à coup sûr de manquer de volonté et lui proposerait pour la énième fois d'aller voir un psychologue qui l'aiderait, sans aucun doute, à avoir un peu plus confiance en elle. Elle insisterait sur le fait que Noémie était décidément trop renfermée sur elle-même et que ce n'était pas sain. Elle conclurait, comme chaque fois, en disant que sa fille allait finir dans un asile psychiatrique, à force de vivre ainsi en recluse.

Noémie n'attendit pas que sa mère entame cet éternel discours, elle se dirigea vers la cuisine en disant :

– Et si nous mangions des spaghettis ce soir, il me semble que ça fait longtemps, non ?

Michelle allait répondre quand le téléphone sonna.

– Fais ce que tu veux, je n'ai pas très faim ce soir... J'imagine que ce coup de fil n'est pas pour toi, lança-t-elle en haussant les épaules. Ta solitude m'exaspère !

Charlie finissait de se préparer en attendant son cavalier pour la soirée : Christophe devait arriver sous peu. De sa coiffeuse, elle pouvait très bien voir la fenêtre de la chambre de Noémie ; cette dernière était absente. Elle ne la connaissait pas, elles ne s'étaient jamais croisées, et Charlie n'était pas sûre de vouloir la rencontrer. Sa voisine devait certainement aller à la polyvalente du quartier, alors qu'elle-même fréquentait un collège privé, c'était ce qu'elle avait toujours souhaité.

Charlie ne savait pas trop quoi penser de cette fille qui passait le plus clair de son temps à sa fenêtre à l'épier. Elle ne semblait pas dangereuse, bien au contraire ; Charlie la pensait malheureuse. Elle savait, pour l'avoir souvent observée à la dérobée, que sa voisine d'en face n'était pas belle.

Les premiers temps, Charlie avait plutôt eu tendance à se moquer d'elle ; elle en avait même glissé quelques mots à ses amis, histoire de bien faire comprendre à tout le monde à quel point on pouvait admirer sa beauté. Mais, avec le temps, le regard de la jeune fille sur elle devint une présence rassurante. Chaque matin, Charlie ouvrait ses rideaux et ne pouvait s'empêcher de regarder chez sa voisine, pour voir si elle aussi était réveillée. Il lui arrivait bien souvent de lui parler, elle l'avait baptisée Laideron, ne connaissant pas le nom réel de la jeune fille.

Charlie se confiait très souvent à elle, lui parlait à travers la vitre. Elle lui demandait les raisons qui pouvaient bien la pousser à l'observer. Sans connaître cette fille et sans jamais lui avoir parlé, Charlie avait parfois l'impression que celle-ci la comprenait ; ainsi, sa présence devenait quelque chose de réel, de concret. Elle était toujours là, fidèle, à ses côtés, quoi qu'il arrive et quoi qu'elle lui dise. Lorsque Charlie doutait de quelque chose et qu'elle lui demandait son opinion, la fille d'en face semblait lui répondre ; que ce fût positif ou négatif, elle disait ce qu'elle pensait en fermant ou en ouvrant ses stores ou encore ses rideaux. Charlie se demandait souvent si c'était son imagination qui créait cette quasi-certitude, ou si Laideron partageait réellement ses discussions avec elle. Par moments, Charlie se traitait de folle et se maudissait d'imaginer un réel échange avec Laideron.

La jolie jeune fille se leva pour sortir sur son balcon, l'air y était doux, l'humidité de cette interminable canicule semblait enfin faire place à un été plus agréable. Cet air frais était aussi annonciateur d'orage en fin de soirée, elle devait donc prévoir un parapluie, pensa-t-elle.

Charlie consulta sa montre, elle n'avait plus vraiment envie de sortir, mais Christophe allait arriver d'une minute à l'autre, et elle ne pouvait plus se décommander. D'ailleurs, elle n'était pas persuadée de vouloir rester à la maison un vendredi soir.

Si Charlie avait accepté de sortir avec Christophe, ce n'était pas parce que le jeune homme l'intéressait, mais simplement pour ne pas être seule. La jeune fille avait en horreur l'idée de passer un vendredi soir seule. Ses parents lui avaient dit qu'ils allaient souper chez des amis, et ils ne lui avaient même pas offert de les accompagner. Bien sûr, elle aurait refusé, elle n'avait plus l'âge de suivre ses parents dès qu'ils mettaient le nez dehors, et surtout pas pour aller faire tapisserie chez ces amis qu'elle ne connaissait pas... mais quand même, ils auraient pu le lui proposer !

Ce n'était pas la première fois que Christophe lui demandait de sortir, et elle savait fort bien que le jeune garçon était complètement fou amoureux d'elle, ou plus exactement de sa beauté, mais chaque fois elle avait repoussé ses invitations. Charlie pensait que plus on mettait d'effort à repousser quelqu'un, plus cette personne vous était attachée, et c'était tout à fait cela qui se produisait avec le pauvre Christophe.

Charlie le menait en bateau et en faisait ce qu'elle voulait, mais cet amusement prenait souvent des teintes de mépris. La jeune fille ne désirait rien d'autre que d'être aimée, elle souhaitait au fond d'elle-même devenir l'unique pôle d'attraction d'un autre être, mais elle ne voulait pas que ce dernier lui soit complètement dévoué tel un chien, uniquement pour sa beauté. Elle voulait lire dans les yeux de ce garçon tout l'amour qu'il lui portait, mais ne pas y trouver l'intérêt que sa beauté suscitait en lui.

Charlie avait en horreur ce genre de personne qui, comme Christophe, ne cherchait qu'à être vue à ses côtés. Elle était belle, et c'était là tout son malheur. On la côtoyait uniquement pour cela, l'amour que les gens lui portaient n'avait rien de tangible, il n'était qu'illusoire. Il sentait le toc, se disait-elle.

Christophe n'était pas amoureux d'elle pour elle, il aimait l'image qu'elle projetait. Enfin, c'était ce dont elle essayait de se convaincre.

La voix de Christophe la fit sortir de ses réflexions.

– Charlie, je suis là... Tu viens ou tu souhaites que j'entre ?

– Ne bouge pas, j'arrive...

Sans plus attendre, la jeune femme rentra dans la maison, ferma la porte-fenêtre, avant de se diriger vers l'entrée. Lorsqu'elle fut dehors face à Christophe, celui-ci crut bon de l'embrasser sur la joue pour lui dire bonsoir. Aussitôt, Charlie le repoussa doucement avec un sourire. Elle tourna la tête vers la résidence de sa voisine, rien ne semblait bouger à l'intérieur. Laideron n'était pas à sa fenêtre.

Chapitre 2

La connivence qui commençait à s'installer entre les deux filles était des plus étranges, car aucune parole, aucun contact n'avait encore eu lieu. Personne n'était au courant de ces liens invisibles qui se tissaient quotidiennement pour les unir un peu plus chaque jour. Elles-mêmes ignoraient encore à quel point la présence de l'autre leur devenait nécessaire.

Lorsque Charlie ne percevait aucun signe de sa voisine à sa fenêtre, elle pouvait attendre des heures à se demander ce qui pouvait bien se passer. Une certaine angoisse se manifestait sans que la jeune fille en soit vraiment consciente, elle ne retrouvait son naturel que lorsque Noémie, enfin, se manifestait. Ainsi, chaque jour qui passait unissait encore plus solidement ces deux personnes.

Le regard que Noémie posait sur Charlie avait fait naître chez la jeune fille un besoin quotidien de sa présence. Ainsi, ses observations devenaient significatives : Charlie se sentait aimée, idolâtrée comme une image pieuse que l'on vénère. Le regard de Noémie lui apportait une satisfaction inégalée. Elle avait le sentiment d'être unique et importante pour quelqu'un, sans que cette personne ne lui demandât rien en retour.

La pureté de cette manifestation silencieuse était, à son avis, une forme d'amour à l'état brut ; Laideron n'exigeait rien, elle la regardait sans conditions. Charlie avait devant elle quelqu'un qui appréciait sa beauté et qui devinait toute sa sensibilité. Elle était persuadée que sa voisine l'aimait pour elle-même, pour son âme. Il ne pouvait en être autrement puisqu'elle ne lui avait jamais parlé ; elle savait évidemment lire en elle.

Charlie se dirigea vers la fenêtre, mais les rideaux de sa voisine demeuraient fermés. La jeune femme poussa un profond soupir, avant de détourner son attention vers les allées et venues de la rue. Il avait plu toute la nuit, et ce matin encore le tonnerre grondait. « Les dieux semblent de mauvaise humeur aujourd'hui », pensa Charlie.

Elle posa son front bouillant sur la vitre froide, un mal de tête la tenaillait depuis son réveil. Probablement une migraine, à cause de la pression atmosphérique ! Du coin de l'œil, elle regarda de nouveau chez sa voisine, mais rien ne semblait vouloir bouger à l'intérieur. Charlie s'éloigna de la porte-fenêtre pour se diriger vers son lit encore tiède. Elle s'allongea, puis tira le drap par-dessus sa tête, avant de se rendormir, se disant qu'à son réveil tout irait mieux.

Noémie était encore couchée, elle s'étira comme un chat avant de reprendre sa position initiale. Elle n'avait pas envie de se lever. « Par un temps pareil, demeurer au lit reste la seule chose intelligente à faire », pensa-t-elle. Mais la voix de Michelle Dumont, sa mère, lui fit comprendre qu'elle ne pourrait mettre son projet à exécution.

– Noémie, lève-toi ! Nous devons sortir... Il faut faire des courses, et je veux que tu m'accompagnes. Il est hors de question que tu restes encore enfermée aujourd'hui !

Noémie lança à travers la porte qui demeurait fermée :

– On ne va pas sortir, il tombe des cordes !... On ira demain...

Michelle entra dans la chambre de sa fille, avec une pile de vêtements fraîchement lavés qu'elle rangea dans la commode de celle-ci.

– Non. Aujourd'hui, ce ne sont pas trois gouttes de pluie qui vont nous arrêter. Habille-toi, ton petit déjeuner t'attend, nous partons dans une demi-heure. (Noémie allait riposter, mais sa mère ajouta, pour clore la conversation :) Je n'accepterai aucun faux bond.

La jeune fille savait très bien que, par moments, il valait mieux ne pas discuter l'autorité de sa mère. Tout en ronchonnant, Noémie se leva pour enfiler un jeans et un t-shirt rose, avant de se diriger vers la cuisine. Michelle l'attendait debout devant la porte d'entrée, un parapluie et l'imperméable de sa fille à la main.

Lorsqu'elles rentrèrent quelques heures plus tard, Noémie se dirigea illico vers sa chambre pour se changer et mettre des vêtements secs. Une fois cela fait, elle ouvrit tout grands les rideaux de sa fenêtre jusqu'alors encore clos. Attentivement, elle fixa la chambre de Charlie :

« Es-tu encore chez toi ? » murmura-t-elle.

Noémie attendit pendant un long moment, mais rien ne semblait bouger dans la maison d'en face. Elle sentit une frustration l'envahir.

« Ah ! si je n'étais pas sortie faire ces stupides courses ! Là, je ne sais même pas où tu es ! Si tu es sortie ou si tu es encore dans ton lit à flemmarder ! »

Mais son attente fut récompensée quand soudain, la fine silhouette de Charlie s'approcha de la fenêtre pour regarder dans la direction de Noémie. Le réflexe de Noémie fut aussitôt de se cacher, un peu honteuse d'avoir été aussi soudainement prise en défaut. Prostrée dans son coin, elle n'osait plus s'approcher de la fenêtre et demeura ainsi pendant une dizaine de minutes sans bouger.

Silencieuse, Noémie repensait à ce qui venait de se produire. Bien sûr, elle savait que Charlie avait depuis longtemps découvert son manège, et ce n'était pas la première fois que leurs regards se croisaient. Mais là, la jeune fille l'avait délibérément regardée, elle avait cherché par ce regard direct à entrer en contact avec elle, Noémie en était convaincue. La question qui s'imposait alors à elle était : pourquoi ? Pourquoi cherchait-elle à faire comprendre à Noémie qu'elle se savait observée ? Peut-être voulait-elle prévenir la jeune fille de cesser de l'épier, car après tout il était parfaitement possible que la belle n'appréciât

pas que l'on observe ainsi son intimité !
« Si tel est le cas, c'est désastreux, pensa
la jeune fille. M'obliger à me priver de sa
beauté serait catastrophique... Elle est ma
seule motivation... mon envie... mes désirs
profonds. Elle est ma réalité, le revers de
mon miroir... sa beauté est aux antipodes
de ma personne. Nous sommes comme
les deux côtés d'une pièce de monnaie,
l'envers et l'endroit, le bien et le mal, la
Belle et la Bête. »

Inquiète, Noémie quitta sa retraite pour
retrouver sa mère, qui l'attendait pour le
dîner. Elles mangèrent sans échanger un
mot. Michelle épiait sa fille du coin de
l'œil, consciente que quelque chose la
tourmentait. Le silence dans lequel parfois Noémie se réfugiait était alors aussi
impénétrable que le Fort Knox ! Michelle
détestait quand sa fille se murait ainsi dans
ce mutisme, ne lui laissant aucun indice,
aucune porte entrouverte, pour qu'elle, sa

mère, puisse la rejoindre et l'aider. Michelle se sentait ainsi devenir impuissante et inutile. Il fallait qu'elle réagisse, qu'elle la sorte de cet état comateux.

– J'aimerais que tu ressortes. J'ai oublié d'acheter certains produits dont j'ai besoin, et j'attends un coup de téléphone important, je ne peux donc pas sortir !

Noémie mit un peu de temps pour réagir à ce que sa mère venait de lui demander.

– Non, je ne peux pas y aller... c'est impossible... Je dois étudier !

Michelle regarda Noémie fixement, tentant encore une fois de percer sa fille à jour. Celle-ci était si secrète qu'elle était incapable de la comprendre. Depuis qu'elle était toute petite, Michelle avait déjà constaté que sa fille n'avait pas les mêmes comportements que les autres.

Longtemps, elle avait tenté de la pousser à consulter un psychologue, mais en vain. Noémie refusait tout échange avec quiconque. Les comportements de Noémie avaient souvent provoqué des moments de crise dans la famille. Son père les avait quittées depuis longtemps déjà, alors que Noémie n'était qu'un bébé. Quant à Anna, sa sœur aînée, elle était partie depuis un bon moment vivre en Ontario. Aujourd'hui, Anna avait 22 ans et étudiait la médecine. Elles ne se voyaient pas très souvent toutes les trois, mais lorsqu'elles se retrouvaient, c'était comme si elles n'avaient jamais été séparées. Michelle avait donc élevé toute seule cette petite fille qui avançait lentement, depuis sa jeunesse, dans un monde qui lui était étranger, dans une bulle. Cette évidence affectait énormément Michelle, qui, tous les jours, s'évertuait à bousculer les attitudes de Noémie, qu'elle jugeait malsaines.

Quotidiennement, il fallait qu'elle trouve de nouvelles raisons pour obliger sa fille à mettre le nez dehors. La semaine, c'était pour l'école, là elle n'avait pas trop de mal à l'y convaincre, bien que chaque jour Noémie lui demandât s'il était vraiment nécessaire de perdre ainsi son temps sur un banc d'école. Le plus dur, c'était la fin de semaine, il fallait que madame Dumont use d'imagination.

– Tes leçons peuvent bien attendre une heure... Ça ne te prendra pas plus longtemps !

Noémie prit tout son temps pour terminer son dîner déjà froid, espérant que sa mère s'impatiente et se décide à y aller elle-même. Mais il n'en fut rien et, bien malgré elle, la jeune fille se leva, ramassa l'argent et la liste que sa mère avait placés devant elle, puis attrapa son blouson pour quitter la maison.

Charlie, qui était toujours à sa fenêtre, vit alors Noémie sortir de chez elle. Aussitôt et sans prendre le temps de réfléchir, elle ramassa son sac à bandoulière pour se lancer sur les pas de sa voisine.

Elle la suivit à bonne distance, l'observant attentivement. Elle constatait que la jeune fille marchait sans élégance, se déplaçant avec de trop grandes enjambées, le torse un peu trop penché vers l'avant. Elle examina longuement les vêtements de Noémie ; de dos, ils lui donnaient l'aspect d'une vieille femme et non d'une adolescente. Les couleurs qu'elle portait devaient dater d'avant la guerre, ne put s'empêcher de juger Charlie. Rien en cette fille ne pouvait être attirant, elle se fondait dans la masse. Tête courbée, dos voûté, Noémie marchait comme quelqu'un qui a quelque chose à cacher. Charlie s'aperçut que pas un passant ne la voyait, ne la remarquait. Elle marchait parmi eux sans qu'aucun regard ne se posât sur elle. Elle n'avait rien, ne dégageait rien, n'était rien !

La jolie jeune fille en conclut qu'il lui serait impossible de vivre comme ça, elle avait trop besoin qu'on l'aime. Chaque regard qui se posait sur elle, même s'il s'agissait d'envie, lui procurait une énergie inimaginable. Comment pouvait-on vivre tout en sachant que l'on n'existait pas dans le regard des autres ? Un frisson lui parcourut l'échine à l'idée d'être invisible, de n'être rien pour personne, même pas pour un simple passant.

Perdue dans ses pensées, Charlie ne vit pas Noémie entrer dans le supermarché qui occupait tout un coin de rue. L'adolescente s'arrêta, cherchant du regard celle qu'elle appelait Laideron. Sans trop savoir pourquoi, elle sentit monter en elle cette angoisse, semblable à celle qu'elle avait ressentie le matin même.

À travers l'immense fenêtre du supermarché, Charlie aperçut la silhouette vieillie de celle qu'elle suivait. Elle se dirigea vers la sortie pour attendre, elle s'assit sur le banc qui se situait là.

Pourquoi demeurait-elle là à la guetter ? Elle était incapable de se l'expliquer. Elle sentait seulement qu'elle avait envie de le faire. Charlie tentait de se convaincre qu'elle n'avait absolument rien en commun avec cette fille, mais elle ne savait pas pourquoi il fallait qu'elle essaie de lui parler. Elle devait entrer en communication avec elle, peut-être alors découvrirait-elle les raisons qui l'avaient poussée à la suivre ainsi.

Lorsque Noémie sortit de l'épicerie, Charlie se leva pour reprendre le chemin inverse qui les reconduirait chez elles. Charlie nota que la jeune fille reprenait les mêmes rues, retraversait exactement aux mêmes endroits, tout cela sans relever une seule fois la tête. La jolie jeune fille se demandait comment elle allait accoster sa voisine. Il fallait qu'elle trouve vite un prétexte, car bientôt elles allaient arriver devant leurs domiciles respectifs.

Les dieux semblèrent avoir entendu sa prière : une barrette glissa des cheveux de Noémie. Aussitôt, Charlie la ramassa et courut pour la rattraper. Une fois à sa hauteur, elle posa la main sur l'épaule de cette dernière, qui sursauta.

– Je suis désolée, je ne voulais pas te faire peur... mais tu as perdu ça.

Charlie la dévisageait de son doux regard vert.

Noémie n'osait pas regarder son interlocutrice, mais lorsqu'elle se décida à relever la tête pour la remercier, son cœur s'emballa à la vue de celle qui représentait à ses yeux la perfection. Elle crut en la voyant qu'elle devait s'enfuir, mais soudain elle comprit que cette rencontre n'était peut-être pas fortuite. Déjà ce matin, la jolie jeune fille avait tenté de lui dire quelque chose, et là, elle se trouvait devant elle, tenant sa barrette à la main et lui offrant un sourire charmeur.

– Merci beaucoup, je ne m'en étais pas aperçue... Je réfléchissais. (Noémie reprit sa barrette, qu'elle fourra dans sa poche. Hésitante, elle fixa de nouveau ses pieds en disant :) Je m'appelle Noémie, je...

Sans attendre, Charlie se présenta à son tour, sautant sur l'occasion pour faire connaissance avec celle qu'elle appelait encore quelques instants plus tôt Laideron.

– Noémie, c'est très joli comme prénom ! Nous sommes voisines... (Noémie n'osait rien ajouter à cela, elle s'attendait à tout moment à ce que Charlie lui demande durement de cesser de l'épier.) Tu vas, j'imagine, à la polyvalente en bas de la rue ?

Noémie releva la tête, comprenant que la jeune fille n'était pas là pour l'exécuter.

– Oui... mais il n'y a rien d'intéressant à en dire ! Excuse-moi, mais je dois rentrer, j'ai des trucs là-dedans qui vont dans le congélateur...

– Je comprends... (Charlie ne voulait pas la laisser partir sans qu'aucune relation plus longue ne soit amorcée, elle hésita :) Euh... que fais-tu cet après-midi ?

Noémie la regardait sans trop comprendre. Que pouvait bien lui vouloir Charlie ?

– Je dois étudier, j'ai un examen d'histoire vendredi... Pourquoi ?

– Je ne sais pas, nous pourrions... Je veux dire, tu pourrais venir chez moi prendre un thé glacé ou autre chose... pour discuter !

Charlie souriait toujours, découvrant de magnifiques dents. Incrédule, Noémie tenta de deviner pourquoi la jeune fille souhaitait la voir pour discuter. Cette superbe fille était entourée de garçons qui se battaient pour passer cinq minutes en sa compagnie. Pourquoi elle ? Tout en continuant à regarder ses pieds, elle osa l'interroger sur ses intentions :

– Pourquoi veux-tu que l'on se voie pour discuter ? Je ne sais pas très bien ce que nous avons à nous dire. Nous sommes tellement... différentes. Que peux-tu espérer de moi ? Tu as tout, et je n'ai absolument rien à t'offrir. Crois-moi, je suis très flattée que tu m'invites et je vais m'en souvenir longtemps... mais ce n'est pas nécessaire, tu n'es pas obligée de faire ça parce que je suis ta voisine.

– Non, non, tu te trompes ! J'ai très envie de te connaître, et ce, depuis un petit bout de temps déjà... Parfois nous nous croisons du regard, et j'ai pensé que peut-être ça te dirait que l'on discute... Nous sommes si souvent à nos fenêtres que nous devons avoir d'autres points communs, j'en suis certaine...

Noémie poussa un soupir en se mordant la lèvre inférieure. Après un instant de réflexion, elle se dit qu'après tout elle n'avait rien à perdre.

– Bon, d'accord, si tu veux, je passerai cet après-midi chez toi ! Je dois rentrer maintenant...

– Super !... C'est super !... À tout à l'heure...

Lorsqu'elle ouvrit la porte de chez elle, Noémie trouva sa mère, devant la fenêtre du salon, qui souriait. Noémie comprit que Michelle avait assisté à toute la scène.

– Elle m'a invitée à passer chez elle tout à l'heure...

– J'en suis très heureuse pour toi, ma chérie... très heureuse !

Dans sa chambre, assise devant son miroir, Charlie s'interrogeait sur les raisons qui la poussaient vers cette Noémie qui, visiblement, n'avait absolument rien en commun avec elle. Quelque chose à l'intérieur d'elle sympathisait avec la jeune fille, mais en même temps elle n'avait pas envie de la voir chez elle, dans son intimité. Qu'allaient-elles se raconter ? De plus, elle était si moche que c'en était gênant... et si quelqu'un venait à passer à l'improviste !

Charlie secoua la tête, ne sachant pas très bien pourquoi elle avait fait cela. Elle espérait seulement ne pas avoir commis une erreur en invitant cette étrange fille chez elle.

Chapitre 3

Entre ! Fais comme chez toi...
Ici c'est ma chambre, je reviens
tout de suite, je vais aller
chercher quelque chose à boire, il fait
encore si chaud !

Noémie entra dans l'univers de Charlie
avec le plus grand respect. Elle marchait et
se déplaçait lentement de peur de déranger
quelque chose. La chambre de la jeune fille
reflétait parfaitement la personnalité de
cette dernière. Elle était jolie, dynamique
et pleine de vie avec ces teintes fuchsia,
bleu nuit et jaune. Les meubles en méla-
mine bleu foncé ajoutaient encore plus de
particularité à la pièce. Un ventilateur sur
pied balayait la chambre, tentant de créer

un courant d'air qui se mourait aussitôt qu'il n'était plus dirigé sur sa cible !

Noémie s'approcha d'un tableau en liège où étaient épinglées plusieurs photographies amusantes de Charlie, qu'on voyait accompagnée de jeunes gens et de personnes plus âgées. Ils avaient tous l'air heureux, souriant.

– Ce sont mes parents et quelques-uns de mes meilleurs amis. (La belle jeune fille se rapprocha pour présenter de son index les différents personnages :) Ici, ce sont mes parents, Marie-Ève et Robert, quand nous sommes allés en France, l'année dernière... J'ai tellement aimé ce voyage !... Ici, c'est Charles, mon ex. Je conserve sa photo, car elle me rappelle beaucoup de souvenirs... et je le trouve bien, là-dessus. Là, c'est Christine, Geneviève, Sam, Jean-François et Myriam... mes meilleurs amis. Nous partons régulièrement au chalet de Sam, où l'on peut faire de l'escalade.

Noémie regardait les photographies et écoutait attentivement ce que lui racontait Charlie. Elle ne pouvait s'empêcher d'envier celle qu'elle considérait comme étant la beauté incarnée. Tout semblait sourire à la jeune fille, et cette constatation ne pouvait laisser de glace une personne le moindrement sensée. On envie toujours ce que l'on n'a pas, c'est un excellent moteur pour nous faire aller de l'avant. Le désir nous pousse toujours plus loin, c'est ce qui nous permet de nous dépasser. La voix de Charlie la ramena à la réalité.

– Tu fais de l'escalade ?

Noémie secoua la tête, avant de dire sur un ton totalement détaché, comme une évidence :

– Qui voudrait se joindre à moi ?

– Toi alors ! Tu sais c'est quoi, ton problème ? répliqua Charlie sans attendre de réponse, tu n'as pas du tout confiance en toi. C'en est complètement dingue !

Je n'ai jamais rencontré quelqu'un d'aussi défaitiste que toi. Je suis navrée de te dire cela comme ça, aussi directement, surtout que nous ne nous connaissons pas, mais j'ai rarement vu quelqu'un se déprécier comme tu le fais !

Noémie restait de marbre, elle avait tellement entendu sa mère lui rebattre les oreilles avec ces mêmes constatations qu'elle ne pouvait réagir comme s'y attendait Charlie.

Mais voyant que la jeune fille guettait une réponse, Noémie fit un effort pour la satisfaire, elle ne croyait pas cependant que cette entrée en matière allait l'entraîner vers un dévoilement spontané de sa personnalité.

– Oui, je sais ! Ma mère m'en parle régulièrement ! Mais c'est plus facile à dire qu'à faire ! Comment s'y prend-on pour avoir confiance en soi ? (En posant cette question, Noémie plongea ses yeux bruns dans ceux de Charlie.) On ne se lève pas un matin en se disant : « Tiens, aujourd'hui, j'ai décidé que j'allais avoir confiance en moi ! » (Noémie se promenait dans la chambre en gesticulant.) Vois-tu, si tu me regardes comme il faut, je n'ai rien pour m'encourager dans cette voie... C'est facile à dire pour des filles comme toi, qui depuis leur petite enfance ne reçoivent que des compliments dès qu'elles font une risette ! Mais moi, dès que je me mettais à sourire, c'était pire, ça donnait l'impression à tout le monde que je grimaçais... ou que j'allais être malade !

Noémie ne s'arrêta pas seulement pour reprendre son souffle, mais aussi parce qu'elle sentait que des larmes allaient bientôt se mettre à couler si elle continuait. Intérieurement, Noémie se surprenait elle-même d'avoir une telle réaction, jamais elle ne s'était encore livrée ainsi à quiconque.

Charlie, de son côté, était fort émue par ce tableau vibrant de franchise. Noémie était, devait-elle se l'avouer, d'une pureté déconcertante ! Rares étaient les moments dans sa vie où elle avait pu toucher comme ça, du bout des doigts, des instants de vérité... et c'était une chose qu'elle goûtait avec délice.

Trop souvent Charlie avait remarqué que ses amis, son entourage et même ses propres parents jouaient la comédie envers elle, temporisaient la vérité pour ne pas être mis à l'écart, pour demeurer dans ce petit groupe sélect... pour l'image ! Mais là, cette Noémie s'ouvrait à elle sans scrupule, sans gêne. Elle se mettait à nu devant une parfaite inconnue !

Bien entendu, Charlie n'était pas une inconnue pour la jeune fille. Depuis longtemps déjà, elles communiquaient ensemble, leurs regards résumant leurs longues, très longues discussions. Elles n'en étaient plus aux simples phrases de courtoisie, elles avaient dépassé le stade des politesses ! Elles s'avouaient leurs sentiments l'une à l'autre.

Charlie ne se sentait pas mal à l'aise devant cette fille, et elle avait très envie de s'ouvrir à elle, de lui dire tout ce qu'elle avait sur le cœur depuis tant d'années. Elle aussi avait besoin de se mettre à nu, et pourquoi pas devant cette personne si sincère ? Ce qu'elle avait sur le cœur depuis si longtemps, ce qu'elle gardait au fond d'elle, pourrait peut-être enfin sortir. Charlie se permettrait alors de se confier sans méfiance, sans crainte d'être jugée.

C'était une éventualité, mais qui devrait attendre, elle n'y était pas encore prête, du moins le pensait-elle.

– Tu sais, si tu te maquillais un peu et si tu changeais de coupe de cheveux, tu aurais une tout autre allure ! Tu veux essayer ?

Noémie n'osait rien dire. « Pourquoi ? » était la seule chose qui lui venait à l'esprit. Pourquoi cette fille, son idole, souhaitait-elle perdre du temps avec elle ? Où étaient ses intérêts ? Noémie était incapable de répondre à ces questions qui l'oppressaient et elle ne désirait pas demander à Charlie de s'expliquer. Elle devait saisir l'opportunité qui se présentait à elle, peut-être que Charlie était franche et peut-être souhaitait-elle réellement l'aider. Noémie esquissa un rictus, incertaine de ce qu'il y avait à faire dans une telle situation.

Recevant ce demi-sourire comme une approbation, Charlie se dirigea aussitôt vers sa coiffeuse pour y sortir tout le nécessaire qu'il lui faudrait pour effectuer cette métamorphose. De la main droite, elle tapa sur le dossier d'un fauteuil qu'elle avait déplacé pour l'installer devant le grand miroir qui trônait au-dessus de la coiffeuse, invitant Noémie à prendre place.

– Tu t'assieds ici et tu me laisses faire, et surtout pas un mot ! (Pour commencer, à l'aide d'un bandeau élastique, Charlie dégagea le front de la jeune fille.) Il faudrait commencer par t'épiler... on dirait que tu as une forêt vierge entre les deux yeux ! Excuse-moi si je suis crue, mais nous n'avons pas de temps à perdre ! Nous devons... déboiser !

Charlie s'exécuta. Pendant près d'une heure, elle tortura le visage disgracieux de Noémie. Elle y appliqua ensuite une crème très riche avant d'étaler de l'anticerne, un fond de teint aux couleurs douces pour atténuer les angles, du fard à joues, du crayon, du mascara. Puis elle s'arrêta aux lèvres, qu'elle redessina lentement à l'aide d'un crayon et d'un pinceau.

Pendant toute cette heure, les deux jeunes filles n'échangèrent aucune parole. Noémie s'en était remise pour la première fois de sa vie à une personne qu'elle ne connaissait que par son imagination.

Même dans ses rêves les plus fous, elle n'avait jamais imaginé qu'elle serait un jour assise dans la chambre de celle qui faisait l'objet de ses aspirations profondes et que celle-ci serait là en train de la maquiller. Jamais elle n'avait même imaginé que la personne pour qui elle avait le plus d'admiration se livrerait à elle ainsi. Car même si Charlie ne lui avait pas encore parlé d'elle-même, Noémie lisait dans ses gestes et dans ses yeux des secrets que probablement la jeune fille n'avait encore jamais dévoilés à quiconque.

Noémie lisait en Charlie comme dans un livre ouvert, et ce qu'elle y voyait ne correspondait pas vraiment à l'image qu'elle s'était faite d'elle !

Elle semblait si malheureuse que cette constatation troubla profondément Noémie. Sans prévenir, sans même minimiser ses paroles, Noémie plongea son regard dans celui de la jeune fille avant de s'enquérir :

– Qu'est-ce qui te rend si triste ? Je vois dans tes yeux une grande solitude que je ne m'explique pas...

Charlie baissa les yeux, déposa un petit pot de couleur rosée près d'elle et fit mine de regarder les autres teintes avant de répondre.

– Je ne vois pas très bien de quoi tu parles... Et, d'ailleurs, ce n'est pas le moment... Tiens, regarde, j'ai terminé ! Qu'en penses-tu ?

Charlie se poussa pour faire place au miroir derrière elle. Lorsque Noémie aperçut son reflet, elle se mit aussitôt à pleurer. Charlie lui tendit un mouchoir en papier en disant :

– Arrête de pleurer sinon tu vas réduire à néant tout mon travail !

Noémie s'approcha du miroir lentement comme si elle ne voulait pas faire fuir l'image qu'elle avait devant elle. Elle s'observait, tournait la tête lentement de gauche à droite, regardait en détail le travail qu'avait si magistralement effectué Charlie. Ses yeux avaient maintenant de l'envergure et donnaient l'illusion d'être beaucoup plus grands, plus profonds, plus vivants. Les teintes que la jeune fille avait appliquées donnaient plus de caractère à ce regard trop longtemps restreint à sa vilaine apparence. Ses lèvres redessinées lui faisaient don d'une bouche plus pul-peuse, plus désirable. Jamais Noémie ne s'était encore imaginée ainsi, elle était maintenant... plus jolie.

Charlie se pencha vers elle pour que son reflet apparaisse à ses côtés dans le miroir. Souriante, elle affichait un air de réussite.

– Une belle coupe de cheveux avec quelques mèches pour éclaircir ton teint et voilà : une nouvelle Noémie ! Tu es drôlement différente ainsi, rien à voir avec la fille que j'ai croisée ce midi... Et si maintenant on voyait ce que l'on peut faire pour changer ton style vestimentaire, qui est vraiment... épouvantable ! conclut-elle en souriant tout en décochant un clin d'œil à sa nouvelle amie.

Charlie se dirigea vers sa garde-robe. Elle en sortit deux robes courtes, un short en jeans, des chemises et d'autres frusques qu'elle étala sur son lit.

– Tiens, essaie ça ! À mon avis, ça devrait aller...

Noémie pensait rêver, elle n'y croyait pas. Elle se métamorphosait complètement... sa mère n'allait pas en revenir, c'était sûr ! Pendant qu'elle essayait une jupe en lin très longue de couleur miel, Noémie, qui surveillait Charlie par son reflet dans le miroir, demanda :

– Pourquoi fais-tu tout ça pour moi ? J'essaie de comprendre tes raisons, mais je n'y arrive pas... Tu ne manques pourtant pas d'amis, et surtout, tu as tous les garçons que l'on puisse rêver. J'aimerais que tu m'expliques ce que ça peut te rapporter de t'occuper ainsi d'une voisine mal dans sa peau ?

Charlie se versa un nouveau verre de thé glacé, puis se dirigea vers la porte-fenêtre grande ouverte. Adossée dans l'encadrement de la porte et tournant le dos à Noémie, le regard dans le vide et la voix plus éteinte, la jolie jeune fille se mit en devoir de s'expliquer.

– Je vis depuis que je suis petite dans un monde ouaté, on a toujours pris énormément soin de moi... car j'ai toujours été belle... et c'est là tout mon malheur ! (Noémie leva les yeux dans sa direction, incertaine de bien comprendre ce que voulait dire Charlie, sans l'interrompre cependant ; elle attendit que celle-ci poursuive :) Chaque fois que des gens me rencontrent, c'est pour vanter à mes

parents l'incroyable beauté de mes traits...
Tranquillement, mes parents se sont pris
au jeu et ont commencé à ne voir en moi
que cette qualité. Chaque fois que je suis
triste, ils me répondent que je n'ai aucune
raison de m'apitoyer sur mon sort, car j'ai
tout pour moi. Ma beauté doit me consoler... Je me souviens qu'enfant, mes parents
ne voulaient pas que je sorte dehors pour
jouer, pour ne pas que je me salisse, je
devais rester dans la maison à jouer avec des
poupées... pas de jeux salissants... Une poupée qui s'amusait avec d'autres poupées !
Tout au long de ma vie, on a toujours
supposé que je devais être heureuse puisque
j'étais belle. Si je répondais que ce n'était
pas le cas, on me traitait de petite fille gâtée
et d'égoïste qui ne pense qu'à elle. Une
fois, une tante m'a dit que c'était une honte
de se plaindre comme je le faisais quand
on avait ce que j'avais ! (Noémie écoutait
attentivement la confession de la jeune

fille, sans mot dire et sans oser bouger de peur que celle-ci se taise.) Ainsi, si les malheurs des autres étaient épouvantables, moi, de mon côté, je ne devais pas me plaindre : c'était leur manquer de respect, me disait-on. Les garçons sont un jour entrés dans la danse : ceux-ci ne s'intéressent à moi que pour s'afficher à mes côtés... pour être vus en ma présence. Ce que je ressens leur est bien égal ! Jamais je n'avais encore rencontré quelqu'un qui me regarde au-delà de mon aspect physique... C'est complètement fou, tu ne trouves pas ? (Sans vraiment souhaiter que Noémie lui réponde, Charlie poursuivit ses explications :) Tous ceux qui m'entourent ne sont là que parce que je suis belle ; ce que je pense sur la guerre dans le monde, l'exploitation des enfants, la violence faite aux femmes, la nourriture transgénique ou tout autre sujet de conversation, ça ne les intéresse pas ! Et quand je tente d'aborder l'un de ces sujets, personne ne m'écoute. Je deviens alors invisible à leurs yeux. Je dois me contenter d'être belle, on ne me demande pas d'être intelligente ! Plusieurs fois mes parents ont voulu que je me présente dans des concours de beauté ; chaque fois, je leur disais que ça ne m'intéressait pas. Ils me regardaient alors comme une enfant totalement dépourvue de bon sens, en plus d'être terriblement égoïste et compliquée. (En souriant, Charlie ajouta :) Un jour, mon père m'a dit que je devais remercier le bon Dieu de m'avoir pourvue de cette incroyable beauté. Ils n'ont jamais rien compris à mes peines, à mes doutes, à mes peurs, à mes désirs... Je ne suis à leurs yeux qu'une poupée de collection que l'on expose dans une vitrine et que l'on sort uniquement pour montrer à la visite ! J'ai toujours pensé que je devrais me faire tatouer sous le pied ou encore dans le dos « Attention ! Fragile ! Poupée de collection »...

Charlie s'arrêta un instant pour reprendre son souffle, le visage transformé par ses aveux trop longtemps restés sous silence. Brusquement, elle parut d'une grande fragilité à Noémie. Bien sûr, cette dernière était compatissante aux malheurs de la jeune fille, mais elle n'arriverait pas à lui faire verser des larmes, pas à elle, et surtout pas sur ce sujet !

Noémie ne pouvait pas très bien comprendre comment on pouvait se plaindre d'être belle, mais elle pouvait cependant très bien comprendre ce que c'est de se sentir très malheureuse, peu importent les raisons qui causent ces drames intérieurs. Le malheur est le malheur, et chacun le vit différemment. Pour certains, l'histoire de Charlie n'était rien en comparaison de leurs propres malheurs. Le malheur ne se quantifie pas, on le vit, et c'est tout !

Noémie se confirma ce qu'elle avait pensé quelques heures plus tôt : elles étaient bien liées. « Charlie est ma réalité, l'envers de mon miroir... sa beauté est aux antipodes de ma personne. Nous sommes les deux côtés d'une pièce de monnaie... l'envers et l'endroit, le bien et le mal, la Belle et la Bête. »

Charlie quitta la fenêtre pour se diriger vers Noémie.

– La beauté peut être aussi dramatique que la laideur !

Noémie fut piquée au vif par cette phrase, sa réaction ne se fit pas attendre. Elle en oublia les réflexions qu'elle venait de se faire.

– Malheur pour malheur, je suis prête à changer de place avec toi sur-le-champ ! Tu me parles depuis une quinzaine de minutes de ton profond malheur, que je ne mets pas en doute, ce n'est pas une chose qui se discute... Mais, il y a quelque chose que je ne comprends toujours pas. Si ta beauté est si pesante à porter, pourquoi ne te rebelles-tu pas contre elle ? (Charlie ne semblait pas comprendre.) Oui, pourquoi ne cherches-tu pas à devenir son opposée : tes vêtements, ton maquillage, ton teint basané et toutes ces crèmes sur ton bureau ne sont pas, il me semble, des antidotes à ton malheur ! Si tu ne voulais pas que l'on te regarde, tu ne t'afficherais pas aussi ravissante ! Ton comportement va à l'encontre de tes propos.

Charlie demeurait songeuse, réfléchissant à ce que venait de lui dire Noémie.

– Tu as raison. Mon comportement est assez en contradiction avec mes dires... Mais bien que l'attitude des gens m'agace, j'ai quand même un grand besoin de leur regard, et j'y suis habituée depuis que je suis toute petite ! Tout ce que je peux te dire, c'est que j'ai besoin de ça, j'aime que l'on me regarde. C'est... vital ! Même si je sais pertinemment que tout ceci n'est que foutaise. (Charlie fronça les sourcils avant de conclure :) C'est assez incohérent tout ça, n'est-ce pas ?

Noémie s'observa de nouveau dans le miroir, comme pour constater qu'elle n'avait pas rêvé.

– En tout cas, moi je ne comprends pas que l'on puisse se lasser d'être belle... (Tout en passant un doigt sur ses sourcils redessinés, Noémie jeta un regard à Charlie en concluant :) Tu es malheureuse à cause de ta beauté, mais surtout à cause du regard des autres sur cette beauté ; d'un autre côté, tu ne peux pas t'en passer, car tu supposes que ces regards sont des preuves d'amour à ton égard, du moins tu l'espères, c'est ça ?

– Oui, je pense...

– Mais ça ne m'explique toujours pas pourquoi tu m'as invitée chez toi, et tout le reste. (D'un geste de la main, Noémie désigna son visage et les vêtements qu'elle portait, puis se dirigea vers Charlie, visiblement troublée.) Tu dois avoir une bonne raison ?

Charlie réfléchissait, elle arpentait la pièce dans tous les sens.

– Quelle drôle de journée, ne trouves-tu pas ? Ce matin, on ne se connaissait même pas, et là, nous voilà en train de nous dévoiler tous nos petits secrets. Tu sais, Noémie, ça fait longtemps que je sais que tu m'observes... (Soudain, Noémie se sentit mal à l'aise.) Ton regard a toujours eu sur moi un effet bien particulier... C'est comme si tes yeux, ton esprit demeuraient purs à mon égard. L'amour que je percevais était honnête, car il me semblait que tu lisais en moi, que tu me comprenais ! Sans m'en rendre compte, ta présence devenait importante, et si un matin tu n'ouvrais pas tes rideaux, je commençais à m'inquiéter... (Charlie baissa les yeux, quelque peu gênée.) Pas pour toi, mais pour moi. Qu'allais-je devenir sans ton admiration...

toi qui observais mon âme ! J'ai toujours eu l'impression que tu me connaissais par cœur, que tu savais lire en moi comme tu le fais si bien présentement ! Ta présence m'est vite devenue essentielle. C'est pour cette raison que j'ai provoqué notre rencontre... (Noémie fronça les sourcils.) Ce n'est pas un hasard si nous nous sommes rencontrées ce matin. Le seul hasard dans cette histoire est que tu aies perdu ta barrette au bon moment ! Cela m'a permis de t'aborder... Je souhaitais te rencontrer, savoir qui tu étais... j'en avais besoin. J'ai besoin de toi, Noémie, je ne peux pas te fournir plus d'explications que cela !

Noémie ne savait plus quoi dire ni quoi faire, elle se leva pour prendre Charlie dans ses bras.

– Je serai toujours à tes côtés, je te le promets !

Chapitre 4

Depuis maintenant plus d'un mois, Charlie et Noémie se voyaient presque tous les jours, elles étaient devenues inséparables. En premier lieu, les parents de Charlie, Marie-Ève et Robert Mercier, n'avaient pas vu d'un très bon œil que leur petite princesse passe ses journées avec la voisine d'à côté, qui visiblement n'avait rien en commun avec elle. Mais ils furent bien obligés d'admettre que leur enfant chérie avait énormément changé et qu'elle avait retrouvé sa joie de vivre.

Michelle Dumont, quant à elle, était très heureuse de voir sa Noémie enfin s'épanouir. Elle avait tellement changé, elle aussi, s'épanouissant chaque jour un peu plus. Elle devenait jolie.

Noémie réussissait mieux à l'école et fréquentait même d'autres jeunes. La maison des Dumont se mettait à vivre ; bientôt, la jeune fille passait ses journées au téléphone, qui ne sonnait plus que pour elle. Elle avait refait sa garde-robe sous les bons conseils de Charlie et, tranquillement, elle s'était mise à s'intéresser aux cosmétiques. Comme lui avait suggéré sa jolie voisine, Noémie s'était fait couper les cheveux, qu'elle portait maintenant plus courts ; un balayage de mèches blondes leur ajoutait du caractère et du style. Noémie était heureuse et elle l'affichait.

Le regard qu'elle posait sur sa voisine avait pris maintenant une tout autre dimension. Non seulement Charlie demeurait le symbole même de la beauté pour Noémie, mais elle devenait un modèle à suivre, une amie fidèle. Noémie analysait et épiait chacun de ses gestes, elle scrutait ses attitudes, ses manières, sa façon de se déplacer, et reproduisait le tout devant son miroir. Elle passait des heures à tenter de copier les gestes de son idéale.

Au début, Charlie trouva plutôt amusant que sa voisine arrive avec des vêtements semblables aux siens mais, bien vite, elle constata que Noémie possédait les mêmes choses qu'elle. Elles avaient maintenant la même garde-robe, les mêmes bijoux, la même allure.

Charlie trouvait de moins en moins drôle de voir la jeune fille venir à elle habillée comme sa jumelle. Noémie avait même changé sa façon de rire, qui sonnait désormais étrangement comme le sien. Elles devenaient tellement semblables dans leurs gestes et dans leur style que, à part les cheveux, elles pouvaient de loin paraître siamoises. Elles ne se ressemblaient pas, certes, elles étaient physiquement différentes, mais l'une à côté de d'autre, il y avait des similitudes et il fallait y regarder de plus près pour voir ces différences pourtant évidentes.

Charlie avait aussi présenté Noémie à ses amis, qui, au début, n'avaient pas vu, eux non plus, d'un bon œil l'arrivée de la jeune fille. Mais bien vite, elle avait su se faire accepter et apprécier, et Charlie regardait maintenant cette acceptation avec une pointe de jalousie. Elle commençait à regretter la dévotion qu'elle avait eue envers la jeune fille. Charlie ne savait pas pourquoi, mais il lui semblait que Noémie n'était pas aussi franche qu'elle le paraissait. Quelque chose l'intriguait dans l'attitude de sa voisine, qui ne semblait pas aussi timide qu'elle le prétendait.

Charlie décida de prêter plus d'attention à Noémie, cherchant ce qui pouvait bien clocher chez cette dernière. Mais ce qui dérangeait le plus Charlie, c'était cette facilité avec laquelle Noémie avait su se faire accepter dans le groupe, sans le moindre effort à fournir.

« Ils l'acceptent telle qu'elle est... Elle n'a pas besoin d'être jolie, il lui suffit d'être elle-même, c'est tout ! Alors qu'en fait, elle est devenue moi. Rien dans sa personne ne reflète sa vraie personnalité... elle est ce que j'ai voulu qu'elle soit ! Et personne ne lui demande quoi que ce soit... Comment cette fille si insipide a-t-elle réussi à se faire aimer ? Elle n'est même pas belle ! Elle a réussi à s'infiltrer dans ma vie et, en plus, avec mon aide et mon consentement ! »

La personnalité de Noémie prenait forme un peu plus chaque jour. Elle devenait charmante, et certains garçons, dont Christophe, se mirent même à l'inviter à sortir. Lorsque Charlie l'apprit, elle piqua une crise :

– Mais pour qui te prends-tu pour sortir avec Christophe ? Tu es une hypocrite !

D'abord tu débarques chez moi avec tes grands airs piteux, jouant la pauvre fille malheureuse que personne n'aime et ne regarde. Je t'offre mon aide, je te montre tout ce que je sais, tous mes secrets, je te dévoile ma vie, je t'ouvre les bras, je te présente à mes amis, et toi, tu t'infiltres sournoisement comme un serpent à travers ma vie. Tu te mets à m'imiter, à porter les mêmes fringues, tu pousses même le culot jusqu'à sortir avec un gars qui s'intéresse à moi... Que cherches-tu ? À prendre ma place peut-être ?... Je te préviens, je ne te laisserai pas faire...

Noémie avait baissé les yeux durant le long égrenage des accusations qu'avait portées Charlie. Lorsque celle-ci eut terminé, elle releva lentement la tête pour lui répondre sur un ton si détaché que Charlie demeura figée :

– Dis donc, tu sembles oublier que c'est toi qui es venue me chercher ; moi, je ne t'ai jamais rien demandé. C'est toi qui m'as abordée, qui as voulu me changer, qui as voulu m'introduire dans ta vie... Tu avais besoin de moi, si ma mémoire est bonne. Ce sont tes propres paroles... Je pense que tu voulais surtout que je demeure à ma fenêtre à t'idolâtrer. Tu avais besoin d'un miroir pour te refléter, tu m'as choisie pour me modeler à ta propre image. Pour avoir un double de toi ! Tu es tellement imbue de ta personne qu'il te fallait, telle une chauve-souris, un retour de tes propres ondes, c'est-à-dire recevoir l'admiration que tu te portes à toi-même. Tu voulais que je t'aime comme tu t'aimes... Je devenais un écho à ta beauté. Mon admiration sans conditions te comblait, je n'étais pas exigeante, je ne demandais rien en retour. Mais apprends, Charlie, que dans la vie tout se paie, même le reflet de l'amour.

Noémie était furieuse, sans perdre cependant son sang-froid ; elle voulut ajouter quelque chose mais se tut. « Il vaut mieux que je parte avant de dire des choses que je pourrais regretter », pensa-t-elle.

Sans attendre, elle disparut aussitôt, laissant Charlie seule avec sa mauvaise humeur et peut-être ses remords.

Charlie avait passé l'après-midi au parc où elle était allée lire pour se changer les idées et pour tenter de calmer sa colère. Lorsqu'elle revint devant sa demeure, elle aperçut quelques-uns de ses amis qui partaient en direction opposée. Étonnée, elle se demanda si elle n'avait pas oublié une visite prévue, lorsqu'elle vit Noémie dehors devant sa porte, qui les saluait de la main. Elle comprit aussitôt que ce n'était pas de chez elle que Christine, Geneviève et Sam sortaient, mais de chez sa voisine, Noémie.

La jeune fille se sentit blessée et mise à l'écart, quelque chose se tramait, elle en était persuadée. Charlie n'arrivait pas à comprendre pourquoi cette situation l'inquiétait tant. Savoir que Noémie voyait ses amis sans qu'elle n'en eût été mise au courant lui faisait peur. Elle n'avait pourtant rien à craindre, on n'était pas en train de tourner un remake du film *La Colocataire* ! Et si sa voisine cherchait à prendre réellement sa place ? La jeune fille secoua la tête en souriant : « Voyons ! Je deviens parano ! Noémie n'est pas une fille dangereuse, bien au contraire. Non. Il faut que je cesse de voir en elle une rivale... D'ailleurs, elle n'a absolument rien pour rivaliser avec moi, je n'ai pas de doute à avoir ! Et même si elle voit mes amis dans mon dos, ceci ne doit pas m'inquiéter, je dois avoir confiance en eux, je sais qu'ils ne me trahiraient pas, à tout le moins pas pour elle... »

Bien qu'elle tentât de se raisonner, le doute persistait toujours. Quelque chose chez Noémie ne lui semblait pas net, elle avait la quasi-certitude que sa jeune voisine cherchait à prendre sa place. Il fallait qu'elle réagisse. Elle n'allait pas laisser cette fille s'immiscer ainsi dans sa vie. Après tout, comme lui avait si bien dit Noémie, c'était elle qui l'avait invitée. Il était grand temps maintenant qu'elle se retire, comme tout bon invité bien élevé !

C'était la première fois que Charlie passait la soirée seule chez elle un vendredi. Elle avait décidé, n'ayant pas d'autre choix, de se garder ce moment pour réfléchir, pour faire le point. Après tout, ce n'était pas si dramatique de passer une soirée seule !

Elle avait bien tenté quelques heures auparavant de joindre quelques-uns de ses amis, mais personne n'était disponible.

« Tant pis, avait-elle lancé, je n'ai pas besoin de vous ! Je suis très capable de passer cette soirée avec moi-même, et puis... si je m'ennuie, il y a la télé ! »

Allongée sur le divan, Charlie réfléchissait à ce qu'elle allait bien pouvoir faire pour éloigner Noémie de sa vie. C'était certain, elle prenait définitivement trop de place, et Charlie n'aimait pas ça. Elle revoyait la scène de leur première rencontre, qu'est-ce qui lui avait pris de se lancer à la poursuite de cette fille ?

« J'ai été sotte de croire que je pouvais faire quelque chose pour elle. En fait, je l'ai tellement bien aidée qu'aujourd'hui elle cherche à prendre ma place, à me voler mes amis... à être moi ! Qui pourrait croire ça quand on la regarde ! Hier encore, elle avait peur de son ombre, elle marchait la tête baissée pour éviter le regard des autres, et maintenant, elle est là à parader devant mes amis... devant Christophe. Mais cette fille n'est toujours pas belle. Ce n'est pas avec un peu de poudre et une nouvelle coupe de cheveux qu'on devient totalement différent. Pourtant, elle s'est transformée à un point tel que soudain tous les regards se tournent vers elle ! Et son regard aussi s'est transformé, elle ne me regarde plus comme avant... Je ne suis plus dans ses yeux, elle n'a plus besoin de moi... alors que moi... »

La sonnerie du téléphone se fit entendre, l'empêchant de poursuivre librement sa pensée. C'était justement Noémie qui la priait de venir chez elle, c'était très important ! annonçait-elle.

Charlie hésitait ; elle n'avait pas très envie de la voir, surtout pas après les réflexions qu'elle venait de se faire et les déductions qu'elle en avait tirées. Mais

Noémie insistait encore, elle n'en avait que pour cinq minutes. Charlie acquiesça d'un signe de tête comme si son interlocutrice se tenait devant elle, l'informant qu'elle serait là dans cinq minutes, le temps d'enfiler quelque chose.

Devant son miroir, Charlie brossait d'un geste accoutumé ses longs cheveux noirs, qu'elle décida de laisser détachés. D'un coup d'œil rapide, elle inspecta son visage, dont la peau basanée et sans défaut lui permettait de se passer de maquillage, surtout en été. Elle ouvrit les tiroirs de sa commode pour prendre un short en jeans et un grand chandail de coton rouge. Elle enfila des espadrilles blanches, avant d'attraper ses clefs et de sortir.

Dans la rue, le lampadaire qui normale-ment éclairait les deux maisons était plongé dans le noir. Chez Noémie, aucune lumière non plus ne filtrait à travers les rideaux et les fenêtres. Charlie eut un frisson dans le dos. Soudain, elle n'eut plus qu'une idée : rentrer chez elle. La porte s'ouvrit pour laisser passer Noémie, qui lui lança :

– Eh bien alors, qu'est-ce que tu fais ? Entre...

Hésitante, Charlie passa devant Noémie pour pénétrer dans la demeure envahie par le noir. C'est alors que la lumière jaillit comme un effet de théâtre, sur tous ses amis qui lui crièrent : « Surprise ! » Charlie sursauta, visiblement étonnée.

– Mais ce n'est pas mon anniversaire... lança-t-elle, sans comprendre à quoi pouvait rimer cette petite fête.

– Nous le savons que ce n'est pas ton anniversaire, répondit Christine, c'est Noémie qui a organisé cette petite fête en ton honneur, uniquement pour souligner votre amitié... C'est vachement sympa, tu ne trouves pas ?

Sans attendre, Noémie ajouta sur un ton qui se voulait tout en douceur :

– Je te dois tellement... Cette fête est la moindre chose que je pouvais faire pour te dire à quel point je te suis reconnaissante. Sans toi, jamais je ne serais devenue ce que je suis aujourd'hui... Tu m'as fait renaître, tu as fait de moi un être nouveau !

Charlie plongea son regard dans celui de Noémie pour tenter d'y sonder son âme. Quelque chose sonnait faux dans toute cette histoire, Charlie trouvait que cette supposée fête ressemblait plus à une énorme fumisterie pour épater la galerie. Elle doutait sérieusement des bons sentiments de sa soi-disant amie ! Tout ceci n'était que de la poudre aux yeux, Charlie en était convaincue.

– Je suis très honorée de cette démonstration, Noémie, mais honnêtement je n'y crois pas... (Tous les regards se tournèrent vers Charlie.) Tu n'es qu'une hypocrite et tu cherches seulement à m'amadouer, mais surtout tu cherches à gagner l'estime de mes propres amis. Tu veux nous éblouir en te faisant passer pour une fille super *cool*... mais tout ça, c'est comme ton maquillage, ça cache quelque chose de laid en dessous ! Et vous, poursuivit-elle en s'adressant à ses amis, libre à vous de rester, mais je vous préviens : cette fille est fausse... Elle est comme un vampire, et une fois qu'elle a tiré de vous tout ce dont elle a besoin, elle vous jette.

Sans attendre de réponse, Charlie ouvrit la porte et sortit.

Noémie regarda la porte qui se refermait lentement. Elle plissait les yeux et serrait les poings, enragée par ce que venait de lui faire Charlie. Les autres invités sentirent qu'il était temps de quitter la maison. La fête n'aurait pas lieu comme prévu. Noémie voulut les retenir, mais Sam lui dit :

– Cette fête était pour Charlie, mais elle refuse d'y participer, je ne vois donc pas l'intérêt de rester. Dommage, ç'aurait pu être super... À la prochaine, Noémie, et ne t'en fais pas pour ce qui vient de se passer, Charlie a de temps en temps des réactions capricieuses. Entre nous, parfois, quand elle agit comme ça, nous la traitons de diva, elle fait des caprices, mais ça ne dure jamais longtemps... C'est une bonne fille. Que veux-tu, c'est elle la reine de beauté et nous, nous sommes tous ses sujets... Tu devras t'y faire, comme nous nous y sommes faits. C'est le prix à payer pour être à ses côtés. À mon avis, ce n'est pas cher quand on l'aime vraiment...

Noémie lui répondit par un sourire. Lorsqu'elle se retrouva seule, elle arracha les ballons et les serpentins destinés à cette fête manquée.

— Oh, la garce ! M'humilier comme ça devant tout le monde, moi qui passe le plus clair de mon temps à tenter de lui prouver toute ma gratitude... Mais pour qui se prend-elle avec ses grands airs ? Et l'autre imbécile qui me dit qu'elle se comporte comme une diva avec ses caprices, et que c'est ainsi qu'il faut l'aimer... C'est un bébé gâté, une petite fille capricieuse qui mérite une bonne fessée...

Chapitre 5

Sans comprendre ce qui se passait, Noémie tentait de joindre Geneviève pour connaître les raisons pour lesquelles personne ne lui retournait plus ses appels depuis la fameuse petite fête ratée, deux jours plus tôt. Mais encore une fois, elle tomba sur un répondeur téléphonique. Fâchée, Noémie raccrocha violemment le combiné.

Nerveuse, l'adolescente rongeait ses ongles, passant en revue tous les scénarios imaginables pouvant expliquer la situation. Mais elle ne parvenait pas à comprendre pourquoi on la laissait tomber... Elle n'avait pourtant rien fait de mal, bien au contraire ! Elle n'avait voulu, par cette petite fête, que souligner l'admiration qu'elle portait à Charlie, et rien de plus ! Charlie avait d'ailleurs été bien injuste de l'accuser ainsi devant tous leurs amis de vouloir l'évincer. Quelle idée ! Elle l'avait accusée de chercher à prendre sa place ! Quelle folie !

Bien sûr, elle devait admettre qu'elle en avait fait un peu trop. S'habiller comme son idole était peut-être un peu charrié... mais elle souhaitait tellement devenir comme Charlie, lui ressembler, être elle !

De plus en plus impatiente, Noémie tournait en rond, attendant que le téléphone sonne. Il fallait que quelqu'un s'inquiète d'elle... Après tout, ils étaient ses amis. Et Charlie, pourquoi Charlie ne lui donnait-elle pas de ses nouvelles ?... Quelle fille égoïste !

Hésitante, la jeune fille se dirigea vers la fenêtre de sa chambre, dont elle tira les rideaux, puis le store. Elle scrutait attentivement la chambre de Charlie à la recherche d'un indice quelconque. Depuis la veille, il ne se passait rien dans la chambre, à croire que Charlie avait disparu.

Tout demeurait calme de l'autre côté de la rue. Noémie posa son front brûlant sur le carreau de la fenêtre : « Mais où es-tu passée encore ? Depuis la dernière fois que l'on s'est vues chez moi, je n'ai aucune nouvelle et ça m'inquiète... Pourquoi m'avez-vous tous laissée en plan ? Vous sembliez être mes amis, je ne comprends pas ! Ce doit être Charlie qui vous a monté la tête... c'est sûr ! »

Lorsque Michelle, la mère de Noémie, rentra du travail vers dix-sept heures, ce fut pour trouver son appartement sens dessus dessous. Noémie s'était préparé un dîner et non seulement avait tout laissé traîner sur la table, mais elle en avait même emmené jusqu'au salon. Là, Michelle trouva des vêtements éparpillés un peu partout, des magazines ouverts çà et là, un sac de chips éventré et le contenu éparpillé. Tous les rideaux de la maison étaient fermés et le combiné du téléphone décroché traînait sur le plancher du salon, même chose pour l'autre appareil dans la cuisine. Michelle entendait le signal d'avertissement qu'émettait le téléphone pour informer quiconque se trouvant là de raccrocher. Michelle songea aussitôt à un cambriolage.

– Noémie... Noémie, es-tu là ?

La mère se précipita vers la chambre de sa fille, qu'elle trouva assise calmement devant sa fenêtre, l'air complètement absent. Elle poussa un soupir de soulagement.

Comprenant que celle-ci devait avoir un lien direct avec l'ouragan qui avait déferlé dans sa maison, Michelle croisa les bras, avant de demander le plus calmement possible :

– Pourrais-tu m'expliquer ce qui s'est passé ici, je te prie ?

Mais Noémie ne semblait pas l'entendre, elle demeurait immobile.

Michelle, soudainement inquiète, s'approcha de sa fille, qui continuait de lui tourner le dos, pour venir poser sa main sur son épaule.

– C'est maman, chérie, est-ce que ça va ? Réponds-moi...

Lentement, Noémie se tourna vers sa mère, levant ses yeux brun clair inondés de larmes. Michelle saisit la tête de son enfant et l'appuya sur son ventre.

– Chuuut ! lui répéta-t-elle doucement pour tenter de la calmer, comme lorsqu'elle était petite. Calme-toi, ma chérie, et raconte-moi ce qui s'est passé.

Noémie se leva pour aller se chercher quelques mouchoirs de papier avec lesquels elle essuya ses yeux, avant de s'écrouler sur son lit et de se remettre à pleurer.

– Tout le monde m'a laissée tomber... Charlie m'a laissée tomber, elle m'a trahie, je la hais... !

Michelle tentait de comprendre à travers les sanglots de sa fille les explications de celle-ci. Lorsqu'elle eut terminé, tout en caressant ses cheveux, elle chercha à la réconforter.

– Mais tu dois probablement te tromper. Je pense qu'il y a un malentendu, c'est tout. Je suis certaine que dès ce soir tu vas recevoir des nouvelles. Ma chérie, tu ne devrais peut-être pas prendre tant à cœur ce genre de comportement. Il arrive bien souvent que les gens prennent des décisions sans pour cela consulter les autres ! (Noémie la regardait à travers ses larmes.) Ce que j'essaie de te faire comprendre, c'est que tu t'es peut-être emballée un peu trop vite avec ces supposés amis...

Tu les connais à peine et, une amitié, ça ne se forme pas après quelques soirées passées ensemble... Ils se connaissent depuis longtemps déjà, et toi tu es nouvelle... tu comprends ? (Noémie secoua la tête.) Écoute-moi bien : toute cette petite bande se connaît depuis tellement de temps déjà, et toi tu viens de les rencontrer... Ça ne veut pas dire qu'ils tiennent à toi comme tu tiens à eux... Avant de te rencontrer, ils avaient des activités communes, peut-être sont-ils tout simplement en train d'en faire une... et ils n'ont pas jugé nécessaire de t'en parler ni de t'inviter. Je pense que tu attends beaucoup trop d'eux. Es-tu certaine qu'ils aient les mêmes attentes envers toi ? Ils t'aiment bien, j'en suis sûre, mais ils se connaissent depuis si longtemps déjà. Ils sont peut-être hésitants à l'idée de laisser un nouveau membre entrer dans leur petite bande, non ?

– Pourquoi alors ne m'en ont-ils pas parlé ?

– Je ne sais pas, ma chérie... je ne sais pas !

Enfin calmée, Noémie laissa son regard errer dans le vide, et sa mère continua de lui caresser les cheveux, intérieurement soucieuse de ce qui se passait.

« Pourquoi, pensait-elle, ce silence soudain autour de Noémie ? Voilà quarante-huit heures à peine, le téléphone ne dérougissait pas, et maintenant : plus rien, le silence complet. »

Ce qui l'inquiétait le plus dans toute cette histoire, c'était les réactions de sa fille, elle qui avait toujours été si fragile... Un rien pouvait l'anéantir, et Michelle se demanda si ce rien n'était pas en train de se produire. Comment n'avait-elle pas envisagé, elle, sa mère, ce qui allait arriver ? Noémie aimait tellement Charlie, elle avait mis tellement d'espoirs dans cette amitié ! Elle y croyait tellement, et Charlie avait d'ailleurs tout fait pour cela. Alors, pourquoi lui tournait-elle le dos maintenant ? C'était bien elle pourtant qui était venue chercher Noémie. Sa fille ne lui avait jamais rien demandé...

Les deux jeunes voisines étaient devenues inséparables, alors pourquoi cette petite fête organisée par Noémie avec tant de soin et tant de hâte avait-elle tourné au vinaigre ? Noémie ne lui avait donné aucune explication satisfaisante sur le sujet. Elle lui avait seulement dit que la soirée n'avait pas eu lieu parce que Charlie n'avait pas pu venir. Depuis, c'était le silence, une sorte d'*omerta* autour de sa fille. Michelle posa les yeux sur Noémie, qui s'était endormie, épuisée par ses pleurs.

Elle se leva et déposa sur son front bouillant un doux baiser maternel. Avant de quitter la chambre, Michelle ferma le store, tout en jetant un rapide coup d'œil en direction de la demeure de Charlie.

Elle devait surveiller de plus près ce qui se passait entre elle et sa fille. Michelle priait pour que Charlie soit franche envers Noémie. Si elle ne désirait plus être son amie, elle devait le lui dire sans attendre plus longtemps. Noémie en serait malheureuse, mais elle s'en remettrait. Par contre, si Charlie attendait et qu'elle s'amusait à jouer avec les sentiments de sa fille, les dégâts seraient désastreux.

Noémie ne quittait plus sa chambre depuis maintenant une semaine, refusant toute nourriture. Toute la confiance qu'elle avait acquise ces derniers mois s'égrenait chaque jour un peu plus. Elle redevenait celle qu'elle avait tant détestée, cette fille affreuse qui se terrait dans son trou. Toute trace de sa joie de vivre disparaissait. De nouveau, Noémie fuyait les regards et les gens. La jeune fille refusait que sa mère ouvrît ses rideaux, elle ne voulait plus, lui criait-elle, voir la maison d'en face.

Inquiète, Michelle suggéra à sa fille d'aller consulter un psychologue avec elle, il l'aiderait assurément ! Mais l'adolescente refusait toute aide, répondant qu'elle ne désirait qu'une chose, qu'on lui laisse la paix !

Chaque jour qui passait inquiétait toujours plus Michelle, surtout lorsqu'elle partait pour le travail. Ne sachant plus quoi faire, Michelle avait même téléphoné à Anna, la sœur aînée de Noémie. Anna proposa à sa mère d'envoyer Noémie en vacances chez elle, en Ontario : ça lui ferait le plus grand bien et à elle aussi d'ailleurs. Michelle l'assura qu'elle tenterait de persuader Noémie, mais elle était loin d'être convaincue de sa réussite.

Le regard fixe en direction de la fenêtre de sa voisine, Charlie priait pour que celle-ci ouvrît enfin ses rideaux. Depuis maintenant une semaine, elle était sortie sur son balcon plus d'une centaine de fois par jour dans l'espoir que leurs regards se croiseraient. Elle espérait chaque fois y trouver le sourire invitant de son amie, elle espérait la revoir. Charlie se doutait des raisons du silence de sa voisine. Elle voulait lui téléphoner, mais elle était convaincue que si Noémie désirait vraiment la voir, elle lui ferait signe. Elle finirait bien par ouvrir ses rideaux et, quand cela arriverait, elle serait là, souriante.

Charlie savait qu'elle avait blessé la jeune fille, c'était bien volontairement qu'elle avait omis de l'inviter à les accompagner, ses amis et elle, durant cette fin de semaine d'escalade. Charlie ne voulait pas que sa voisine devienne l'amie de ses amis. Elle ne voulait pas que Noémie devienne importante pour d'autres gens, elle souhaitait la garder pour elle seule.

Noémie commençait à prendre trop de place auprès de Christine, qui la trouvait généreuse, Geneviève, qui l'aimait bien, Sam, qui la trouvait si sympathique, Myriam, qui la trouvait rigolote et, pour finir, Jean-François, qui la trouvait intéressante !

L'attachement qu'éprouvaient ses amis à l'égard de la jeune fille d'en face dérangeait beaucoup Charlie, qui souhaitait garder pour elle seule sa jeune voisine. Ce qu'elle voyait dans son regard était plus important, bien plus important que l'aspect social de sa présence avec les autres.

Sortant de ses pensées, la jolie jeune fille ouvrit une nouvelle fois sa porte-fenêtre pour vérifier si Noémie ne lui envoyait pas un appel. Mais rien, aucune forme de vie ne se manifestait derrière ce store si hermétiquement fermé ! Agacée, elle rentra chez elle.

Il fallait qu'elle fasse quelque chose, sinon elle allait devenir folle de cette attente. Elle devait l'appeler, lui parler... Bien sûr, elle s'excuserait auprès d'elle, Noémie ne lui en tiendrait sûrement plus rigueur. Elle devait faire les premiers pas, aller au-devant de son amie, lui montrer par cette attitude à quel point elle tenait à elle. Sans attendre, Charlie se précipita vers le téléphone.

Madame Dumont répondit au bout de la quatrième sonnerie.

– Madame Dumont, ici Charlie... Noémie est-elle là, s'il vous plaît ?

Il y eut un long silence. Michelle répondit enfin :

– Écoute, Charlie, je ne crois pas que ce soit une bonne idée que tu téléphones ici... Noémie n'est pas disponible pour le moment...

– Pouvez-vous lui donner le message que j'ai téléphoné et qu'elle me rappelle dès que possible ?

Hésitante, Michelle répondit avant de raccrocher :

– Je ne lui donnerai pas ton message, Charlie, pour la simple et bonne raison que je n'ai pas envie que tu la fasses encore plus souffrir... Tu joues avec elle comme avec une poupée ; et quand tu n'en as plus envie, tu la laisses seule dans un coin. Ton attitude n'est pas très correcte... Il est hors de question que je te laisse continuer... Noémie avait confiance en toi, et elle t'admirait tellement, je n'arrive pas très bien à comprendre tes raisons, ni celles de tes amis d'ailleurs. Un jour, vous êtes amis et, le lendemain, c'est terminé. Noémie y avait cru et elle vous faisait confiance... Vous vous êtes moqués d'elle...

Charlie pleurait silencieusement, elle ajouta :

– Je ne voulais pas, madame Dumont... Je suis désolée... Je ne souhaitais qu'une seule chose, que Noémie ne soit que mon amie à moi et à personne d'autre... Je vous jure que je n'ai jamais cherché volontairement à lui nuire... J'aime beaucoup votre fille...

Michelle jugea qu'elle en avait assez entendu et, surtout, elle n'avait pas envie que sa fille surprenne cet appel.

– C'est assez ! Je n'ai qu'une chose à dire : il faut savoir assumer ses gestes dans la vie... Au revoir !

Charlie tenait encore le combiné du téléphone, bien que Michelle eût déjà raccroché depuis un instant. Elle n'osait bouger, ayant trop peur de réellement réaliser ce que venait de lui dire la mère de Noémie. Des larmes se mirent à couler, et la jeune fille se mit à trembler de tout son être.

« Oh non, ce n'est pas vrai. Sa mère refuse que je la revoie... Que vais-je faire ? »

– Il faut que tu te décides à te lever... Ça fait quatre jours que tu restes couchée dans ce lit. Je ne t'ai encore jamais vue dans un état pareil... Mais qu'est-ce que tu peux bien avoir ? Depuis combien de temps ne t'es-tu pas douchée et depuis quand portes-tu ce t-shirt ? Non, mais, regarde-moi ta chambre, on se croirait dans une porcherie... Secoue-toi, Charlie ! Je ne sais pas ce que tu as, mais il n'est pas question que je supporte plus longtemps cette crisette que tu me fais !

Marie-Ève, la mère de Charlie, se promenait çà et là dans la chambre de sa fille, ramassant à gauche et à droite des vêtements dont elle tentait de déterminer lesquels devaient aller à la lessive.

Charlie fixait le vide, n'ayant aucune conscience de la présence de sa mère dans sa chambre, malgré tout le bruit que celle-ci pouvait faire à pousser des soupirs ou encore à marmonner des remarques sur l'environnement dans lequel vivait sa fille pourtant si bien élevée.

– Mais c'est pas vrai, tu vas te lever tout de suite et aller prendre une douche... (Voyant que sa fille ne réagissait toujours pas, Marie-Ève sentit la colère la gagner.) Si tu ne te lèves pas, ça va aller mal. Tu seras privée de sortie pendant toute la semaine...

Mais, visiblement, cette menace n'eut aucun effet sur la jeune fille. Sa mère, découragée, sortit en trombe de la chambre, jurant à Charlie qu'elle devrait s'expliquer avec son père dès que celui-ci rentrerait du travail.

Lorsqu'elle fut enfin seule, Charlie se tourna sur le côté en direction de la porte-fenêtre restée ouverte. Le regard fixe, elle scrutait les ombres à l'extérieur, cherchant Noémie !

Chapitre 6

Elles ne lui avaient pas laissé le choix : Christine, Geneviève et Myriam étaient venues la chercher pour l'emmener de force à un week-end d'escalade. Marie-Ève avait déjà préparé son sac à dos, et rien ne semblait manquer. De fait, c'était sa mère qui avait proposé aux jeunes cette sortie, insistant sur le fait que Charlie devait les accompagner, c'était crucial. Ils ne pouvaient pas partir sans elle, elle avait besoin de ses amis plus que jamais, leur avait-elle précisé.

L'autobus Voyageur déposa les six adolescents et leurs bagages aux abords du mont King, près du village de Val-David. Ils avaient un peu plus de deux kilomètres à faire à pied, avant d'arriver au chalet des parents de Sam. Une fois là-bas, ils y laisseraient leurs sacs, puis se rendraient au village pour y faire quelques courses.

Ils n'avaient pas prévu de faire de l'escalade cet après-midi même ; la pénombre commençant à s'installer, bientôt il ferait nuit, et il était préférable d'attendre au lendemain. Tout en marchant, ils discutaient joyeusement, projetant de préparer un bon plat de nouilles pour tout le monde, dès leur arrivée. Le reste de la soirée serait à déterminer ensuite.

Charlie les suivait sans trop d'entrain, elle était là parce qu'elle n'avait pu faire autrement. Les filles ne seraient jamais parties de chez elle si elle n'avait accepté de les suivre. Elle savait que c'était sa mère qui avait tout manigancé, elle l'avait entendue au téléphone, celle-ci pensant que sa fille dormait. Elle lui en voulait beaucoup de se mêler ainsi de sa vie et de ses choix personnels. Marie-Ève ne comprenait pas (et ne cherchait même pas à comprendre) les raisons qui faisaient que Charlie se trouvait dans cet état presque dépressif. Son père avait eu une attitude encore plus catégorique, il avait dit à sa mère qu'il avait peur pour la santé mentale de sa fille !

Comment avait-il pu oser dire ce genre de chose, alors qu'elle allait tout à fait bien ! Comment ses propres parents pouvaient-ils parler ainsi d'elle, leur fille chérie ?

Tout en continuant à traîner les pieds, l'adolescente ne cessait de penser à Noémie, se demandant si sa voisine lui en voulait toujours. Visiblement, cette dernière dramatisait quelque peu la situation, elle exagérait. Mais elle lui manquait tellement... En fait, c'était plus l'idolâtrie que celle-ci lui vouait qui lui manquait. Elle avait très bien perçu dans le regard de ses prétendus amis un désintéressement pour sa personne, ils s'étaient tous un peu éloignés, posant des jugements sur ses agissements. Les choses avaient changé depuis ce fameux soir où Noémie lui avait organisé cette stupide petite fête. Il lui revint en mémoire ce qui s'était dit une fois qu'ils furent tous réunis sur le trottoir en face de chez la jeune fille. Jean-François lui avait alors fait la remarque qu'il n'avait pas du tout apprécié son comportement, que Noémie s'était donné beaucoup de mal pour organiser cette fête en son honneur et qu'elle, Charlie, avait eu alors une réaction d'enfant gâtée, de capricieuse, que toute cette histoire où elle accusait Noémie de ne chercher qu'à prendre sa place et les accusations qu'elle avait portées n'étaient que des excuses pour justifier sa jalousie envers leur nouvelle amie. Il avait conclu qu'elle, Charlie, ne supportait pas l'idée que cette pauvre fille suscite autant, sinon plus, d'intérêt qu'elle. Elle avait agi comme une perdante ne voulant pas céder sa place... alors qu'elle n'avait absolument rien à céder, elles ne participaient pas à un concours. Elle se rappela les regards fuyants de ses amis et entendait en écho Jean-François ajouter :

– Noémie est Noémie, et c'est une fille épatante, et toi, tu es toi, une fille... (il avait hésité sur le mot) quasi irremplaçable, avait-il dit en souriant et en lui décochant un clin d'œil. Un beau jour, il faudra que tu m'expliques tes raisons, avait-il conclu, mais en attendant, ne cherche pas à l'évincer, car je ne te laisserai pas faire !...

Charlie repensait encore à ces dernières paroles lorsque enfin ils arrivèrent au chalet en bois rond, d'un rustique comme il ne s'en faisait plus ! Tous poussèrent un profond soupir en laissant tomber leurs lourds sacs à dos à l'entrée du gîte.

La soirée était fraîche et silencieuse, bien meilleure qu'à Montréal, où la température n'avait pas baissé d'un degré depuis des semaines. L'été qui approchait lentement de sa fin avait été, affirmaient les météorologues, le plus chaud jamais enregistré jusqu'à présent. Certains experts avaient même affirmé que cette chaleur insupportable était la cause directe de nombreux troubles comportementaux chez bien des individus.

L'agressivité se manifeste plus rapidement lorsqu'il fait très chaud que lorsque les températures sont plus froides. Enfin, c'était ce qui se disait à la radio portative, qui avait été déposée sur le manteau de la cheminée, et Charlie tentait d'en comprendre tout le sens à travers le chahut qui régnait autour d'elle. Tout le monde semblait parler en même temps ! Tentant de ne pas perdre son calme, la jeune fille se leva pour sortir prendre l'air. Une fois sur la grande galerie, qui faisait le tour de la maison, Charlie se dirigea vers des chaises longues en bois, peintes de couleur chocolat et qui s'accordaient parfaitement avec le style du chalet. Malgré tout le brouhaha qui régnait à l'intérieur, l'endroit semblait tout à fait calme et reposant. Charlie perçut le lieu comme un emplacement propice à la réflexion.

Mais elle ne put profiter bien longtemps de cette quiétude, déjà Jean-François se tenait debout à ses côtés.

– Je peux me joindre à toi ?

Charlie leva ses superbes yeux verts vers le jeune homme, en haussant les épaules en signe d'indifférence. Sans plus attendre, il s'installa sur la chaise qui se trouvait là, à proximité de la sienne. Ils restèrent ainsi plusieurs minutes sans rien se dire, à observer les lucioles qui batifolaient dans les buissons en face du chalet. Charlie se demandait combien de temps Jean-François allait tenir avant de se décider à lui dire ce qui le préoccupait ainsi. Elle n'eut pas à attendre bien longtemps avant d'avoir sa réponse :

– J'aimerais, si ça ne te dérange pas, que l'on reparle de la soirée chez Noémie. (« Nous y voilà », pensa Charlie.) Ça fait déjà un bon bout de temps que je veux qu'on en discute et, jusqu'à présent, nous n'en avons pas eu l'occasion... Ça te dit ?

La jeune fille continuait de suivre le ballet qui s'exécutait devant elle, sans approuver ni désapprouver ce que lui disait le jeune homme ; il en conclut donc qu'elle n'était pas contre !

– J'aimerais que tu me parles des raisons qui t'ont poussée à t'en prendre ainsi à cette pauvre fille. Pourquoi l'accusais-tu de vouloir prendre ta place ?

Jean-François se tut, attendant que Charlie lui répondre. Elle prit son temps, ne sachant trop si elle avait envie d'aborder ce sujet-là avec lui. Enfin, elle dit :

– Tu veux savoir pourquoi ? Mais tu connais déjà la réponse, tu me l'as dit lorsque nous sommes sortis de chez elle... Mais je veux bien éclaircir certains points, puisque tu me le demandes. Les raisons en sont fort simples : je n'ai tout simplement pas envie que cette fille fasse partie de notre petit groupe...

– Mais c'est bien toi qui nous l'as présentée, c'est même toi qui es allée la chercher ! Elle n'a pas couru derrière toi, d'après ce que j'en sais et ce qu'elle m'a dit... Tu l'as abordée dans la rue en face de chez vous, tu l'as invitée chez toi et tu lui as même appris à devenir plus jolie, si je peux m'exprimer ainsi ! Alors pourquoi ce revirement soudain ?

– J'en ai bien le droit... Et si je m'étais trompée sur cette fille et qu'en réalité elle soit complètement nulle ? Il serait dans notre intérêt à tous qu'elle quitte notre groupe... n'est-ce pas ?

– Non, non ! Je suis certain que ce n'est pas là la vraie raison, et d'ailleurs elle n'est pas nulle du tout, et ça, tu le sais... (Jean-François scruta attentivement le regard de Charlie avant de lui demander :) Chercherais-tu par hasard à la garder pour toi seule ?

Charlie détourna son regard.

– Je crois que j'ai fait mouche, tu es amoureuse de Noémie... c'est ça ?

Surprise de cette conclusion, la jeune fille afficha un sourire moqueur :

– Non, non, tu te trompes, ce n'est pas à ce niveau que ça se joue... Si c'était ça, les choses seraient moins compliquées, tu peux me croire. Ma vie en serait, je crois, moins bouleversée... Mais ça n'a rien à voir avec ce genre de sentiment, ça va bien au-delà de cela. (Hésitant à poursuivre cette conversation, Charlie se leva pour faire quelques pas. Elle prit un instant pour réfléchir, ce que le jeune homme respecta en silence :) Noémie est bien plus pour moi qu'une histoire d'amour... C'est difficile à expliquer, je suis très confuse, je n'y comprends pas grand-chose moi-même. Peut-être le fait de t'en parler m'aidera-t-il à y voir plus clair... J'ai besoin d'elle... c'est vital, et l'idée de la partager avec d'autres m'est insupportable... Ce que je vois dans ses yeux lorsqu'elle me regarde est unique, je n'ai encore jamais perçu chez personne cette lueur si intense à mon égard. Chez elle non plus, ce n'est pas un penchant amoureux, c'est quelque chose... d'indéfinissable. Je suis unique à ses yeux... son idole... j'ai l'impression de lui être indispensable... cela me procure une sensation de satisfaction jamais encore égalée. Je deviens dans son regard... le but ultime... le jardin d'Éden enfin trouvé... la consécration... l'état de grâce !

Jean-François la regardait, complètement ahuri. Il ne savait pas s'il devait rire ou s'il devait prendre au sérieux le délire de la jeune fille. Il lui fallait de l'aide, c'était sûr, Charlie était en train de perdre la carte, il en conclut tristement que sa beauté avait eu raison de son esprit !

Jean-François n'avait pas beaucoup fermé l'œil durant la nuit, pensant et repensant à sa conversation avec la très belle Charlie. À la lumière de cette nouvelle journée qui commençait, le jeune homme se demanda s'il n'avait pas imaginé le discours farfelu de sa copine, la nuit d'avant.

Charlie lui était toujours apparue comme étant une fille très spéciale. Il admettait aussi qu'elle avait un caractère très particulier, et il avait déjà pu constater, depuis qu'il la connaissait, toute l'obsession que celle-ci entretenait autour de sa grande beauté.

Au début, Jean-François était tombé sous son charme, mais bien vite il s'était aperçu qu'il n'était pas le seul garçon à admirer la superbe Charlie, quoique, curieusement, celle-ci ne s'intéressât à aucun d'entre eux. Il ne tarda pas à en connaître les raisons : la jeune fille était si préoccupée par sa beauté qu'aucun garçon ne souhaitait sortir vraiment avec elle, se contentant d'une soirée de temps à autre. Charlie lui avait même avoué un jour que ses parents souhaitaient, lorsqu'elle était plus jeune, qu'elle participe à des concours de beauté. Par la suite, il avait appris de la bouche de Christine que toute cette histoire était fausse, que jamais ses parents n'avaient voulu ce genre de chose pour leur fille. Bien au contraire, ils faisaient tout ce qui était en leur pouvoir pour que Charlie cesse de se préoccuper de sa petite personne.

Assis à la grande table de bois de la salle à manger, Jean-François mélangeait depuis maintenant une bonne vingtaine de minutes les céréales ramollies qui se trouvaient dans son bol. Un baiser le ramena vite à la réalité, c'était Charlie qui le saluait de son plus charmant sourire. Le jeune homme en conclut qu'il n'avait pas rêvé cette étrange conversation qu'il avait eue avec elle.

– Alors, tu rêves encore ? Tu n'es pas réveillé ? demanda-t-elle en prenant place en face de lui, tout en se servant elle aussi un bol de céréales.

– Heu non, non, je réfléchissais...

– C'est bien ce que je disais : tu rêves !

Ils n'eurent pas le temps de poursuivre cet échange, car déjà les autres les avaient rejoints. Sam, visiblement de bonne humeur, proposa d'aller tout de suite après le déjeuner à l'attaque du mont King. La proposition fut vivement accueillie par tous.

Sur le sentier qui les menait vers la paroi qu'ils avaient choisi d'escalader, la petite troupe se suivait à la queue leu leu, comme des enfants heureux de se retrouver en colonie de vacances.

Une fois que les cordes furent solidement attachées, les grimpeurs redescendirent le sentier afin de se rendre au pied de la montagne pour commencer la montée. Charlie avait décidé de grimper la dernière.

La paroi devait avoir la hauteur d'une dizaine d'étages. Charlie en était au quart quand soudain la petite cavité où elle avait glissé ses doigts se détacha, entraînant la jeune fille dans une dégringolade périlleuse. Normalement, les cordes auraient dû la retenir, mais Charlie avait omis, avant de commencer sa montée, de regarder si elle avait correctement refermé la vis de son mousqueton. La corde qui devait la rattacher de façon sécuritaire à la paroi ne lui servait plus à rien puisqu'elle venait de quitter son mousqueton resté ouvert. Consciente de sa chute et du sol qui se rapprochait dangereusement, l'adolescente pensa qu'elle vivait ses derniers instants.

Pour ses amis qui observaient impuissants la scène, la chute se fit presque au ralenti. Un cri s'échappa des lèvres de Geneviève, horrifiée par le spectacle qui se déroulait devant ses yeux affolés. Jean-François eut le réflexe inutile de tendre la main vers la jeune fille en hurlant son prénom. Le corps inerte de Charlie s'écrasa sur le sol, comme un mannequin désarticulé, soulevant un épais nuage de poussière.

Tenant la porte ouverte devant elle, Michelle attendait que Noémie se décidât à entrer dans l'immeuble presque centenaire du boulevard Saint-Joseph. Une plaque de laiton scintillante affichait en lettres majuscules « Docteur Yves-Jacques Manseau, psychologue ».

– Tu vas entrer ou non ? Je ne vais pas rester comme ça tout l'après-midi !

Noémie marmonna quelque chose qui signifiait clairement qu'elle ne voulait pas rencontrer le psychologue en question. Sa mère sentit une grande impatience la gagner.

– Je te le répète : si tu ne te décides pas à vouloir consulter un professionnel, je serai obligée de prendre d'autres moyens...

qui ne te plairont sûrement pas, tu peux en être certaine !

La jeune fille regardait sa mère, se demandant ce qu'elle voulait bien dire avec ce genre de menace. Mais Noémie savait qu'il valait mieux qu'elle ne pousse pas sa mère à bout. Lorsque celle-ci se mettait en colère, vous aviez l'impression que le ciel vous tombait sur la tête !

Poussant un profond soupir, elle monta la dernière marche qui la séparait de l'entrée en marbre de l'immeuble. Michelle et Noémie se dirigèrent vers une lourde porte de chêne, qu'elles poussèrent pour se retrouver devant une jeune réceptionniste qui semblait les attendre. De son plus beau sourire, elle les invita à se présenter.

– Bonjour, mademoiselle, ma fille a rendez-vous avec le docteur Manseau à dix heures trente.

– Oui, effectivement, mademoiselle Dumont, je suppose ? (Noémie répondit d'un signe de tête.) Le docteur va vous recevoir dans quelques minutes. Vous pouvez vous asseoir, ça ne sera pas long…

Au moment où elles allaient prendre place, la porte du cabinet s'ouvrit pour laisser sortir un jeune garçon de l'âge de Noémie qui se dirigea vers la réceptionniste, avec qui il discuta afin de fixer un prochain rendez-vous. Noémie le suivait des yeux, presque heureuse de constater qu'elle n'était pas la seule de son âge à avoir des problèmes, quand la voix grave du spécialiste la ramena vers le but de sa présence en ces lieux. La jeune fille fut étonnée de constater à quel point le docteur Manseau était jeune.

– Noémie, c'est à toi. Si tu veux bien entrer et m'attendre quelques instants, j'ai deux mots à dire à ta mère.

La jeune fille pénétra dans le bureau du psychologue, pendant que celui-ci fermait la porte derrière elle, la laissant seule. Le docteur Manseau se tourna vers la mère de Noémie.

– Vous pouvez attendre ici si vous le souhaitez, ou sinon allez prendre un petit café sur la rue Laurier, à côté. Revenez dans une heure. (Michelle allait intervenir pour dire qu'elle désirait être présente à la séance quand le jeune docteur poursuivit :) Votre fille ne se livrera pas aussi facilement si vous êtes assise à ses côtés. Tout le monde a ses petits secrets, et Noémie aussi. Vous devez accepter de ne pas tout connaître. (L'inquiétude se lisait sur le visage de Michelle.) Ne vous inquiétez pas ; tout se passera sans problème, termina le psychologue pour la rassurer.

Lorsqu'elle voulut ouvrir les yeux, Charlie ne put retenir un cri de douleur.

Elle avait la très nette impression d'être passée sous un rouleau compresseur, tant elle avait mal partout. Elle voulut relever la tête, mais celle-ci semblait peser des tonnes, d'autant plus que son cou était maintenu dans une minerve qui immobilisait sa colonne vertébrale.

– N'essaie pas de bouger, ma chérie... je suis là, à tes côtés.

– Maman, mais qu'est-ce que je fais là ? Que s'est-il passé ?

– Tu as eu un accident sérieux... tu te souviens, tu étais allée faire de l'escalade avec tes amis ?

S'efforçant pour se souvenir, la jeune fille revit, comme dans un épais brouillard, le moment où effectivement elle tombait dans le vide, sa chute lui paraissait interminable et, en écho, elle entendait Jean-François qui l'appelait et quelqu'un d'autre qui poussait un cri.

– Et c'est grave ce que j'ai ? J'ai tellement mal partout...

Charlie essayait de bouger ses membres ankylosés.

Marie-Ève approcha son visage de celui de sa fille, replaçant quelques mèches de cheveux.

– Tu es courbaturée. C'est normal avec la chute que tu as faite... Le principal, c'est que tu n'aies rien de grave, rien de cassé. Tu as eu beaucoup de chance, tu sais !

– Mais pourquoi ai-je si mal à la tête et pourquoi tous ces bandages ?

De la main, Charlie montrait à sa mère les bandes qui recouvraient son visage.

Madame Mercier se leva pour prendre un verre d'eau fraîche posé tout près, qu'elle approcha de sa fille en tenant la paille.

– Tu veux un peu d'eau ? Tu dois avoir si soif...

Charlie refusa d'un léger coup de tête, avant de reposer sa question. Marie-Ève savait qu'elle devrait un jour ou l'autre lui annoncer la terrible nouvelle. C'était le moment, et elle le savait. D'ailleurs, comment pourrait-elle éviter les questions de Charlie ? Hésitante, elle vint se rasseoir près de sa fille, dont elle prit la main.

– Écoute, ce n'est pas facile à dire...

– Mais tu m'as dit que je n'avais rien...

– Tu n'as rien de cassé, ma chérie... C'est juste que... Oh ! je ne peux pas !

Marie-Ève plongea son visage dans ses mains et se mit à pleurer. Charlie sut alors que la chose était grave.

– Maman, réponds-moi... tu pleureras après !

Madame Mercier releva la tête pour sécher ses larmes. Elle plongea son regard dans les yeux suppliants de sa fille.

– Tu n'as rien de fracturé, comme je te l'ai dit, mais... lors de ta chute, ton visage a plusieurs fois heurté la paroi et est en partie... défiguré !

La jeune fille pensa aussitôt qu'elle ne devait pas avoir très bien compris, mais le regard plein de larmes de sa mère confirmait ses appréhensions. Charlie sentit la terre s'ouvrir sous elle, elle chutait de nouveau, mais cette fois, c'était vers l'enfer. D'un ton complètement détaché, elle demanda à sa mère :

– Je veux voir, trouve-moi un miroir... vite !

– Non, tu devrais encore attendre car ton visage est boursouflé... et il y a ces bandages...

– Je veux voir et tout de suite !

Charlie entreprit de défaire les bandes qui cachaient l'horrible réalité que venait de lui dévoiler sa mère. Aussitôt, Marie-Ève se dirigea vers la petite salle de bains pour en revenir avec un miroir de poche. Réticente, elle le tendit à sa fille, dont le visage était à demi découvert. Charlie le posa sur elle ; elle fixait sa mère, cherchant

assez de courage pour oser se regarder.
D'une main lente, elle ramena vers elle
le petit miroir pour y découvrir un reflet
tout bleuté, enflé et couvert de coupures
de différentes grosseurs.

Elle se regarda longuement sans dire un
mot, avant que des larmes ne se mettent à
rouler sur ses joues. Elle pleura longtemps
en silence, très longtemps !

Marie-Ève, à ses côtés, lui tenait la
main sans rien dire, elle savait qu'il faudrait beaucoup de temps à Charlie pour
regarder la vérité en face. Elle connaissait
assez sa fille pour anticiper ses réactions,
Charlie allait se refermer sur elle, et c'était
là toute la tragédie de cette histoire ! Plus
jamais Charlie ne serait ce qu'elle avait
été.

Elle avait tellement aimé sa beauté.
Telle une déesse, elle passait des heures
devant le miroir à se contempler. Il était
vrai que Charlie avait été magnifique.

Chapitre 7

Deux semaines s'étaient écoulées depuis l'accident, et Charlie allait bientôt recevoir son congé de l'hôpital. Elle ne désirait pas partir. Dehors, tout allait être si difficile à vivre, surtout le regard des autres. Son visage était maintenant beaucoup moins boursouflé et, déjà, certaines ecchymoses avaient commencé à pâlir. Charlie était désormais un peu plus en état d'entrevoir ce qu'allait être son nouveau visage. Mais chaque fois que ses yeux croisaient son reflet, ce qu'elle voyait alors lui donnait des haut-le-cœur. Chaque fois qu'elle se regardait dans une glace, c'était avec une réelle méchanceté qu'elle s'injuriait elle-même :

« ... Tu es tellement laide... un monstre ! Tu aurais dû mourir dans cette chute plutôt que de te retrouver à vivre comme ça... idiote ! »

Charlie se remit à pleurer, comme elle le faisait à chaque instant depuis qu'elle avait ouvert les yeux après son accident. Elle pleurait et pleurait de longues heures devant tout ce désastre qui s'abattait dans sa vie. Elle pleurait comme on pleure le départ d'un être cher, elle pleurait sa beauté. Plus jamais on ne lui dirait à quel point elle était magnifique, plus jamais on ne se retournerait sur son passage, plus jamais elle ne se regarderait dans un miroir avec fierté. Tout ceci était bien mort, et c'était cette nouvelle réalité qu'elle croisait chaque fois qu'elle apercevait son reflet.

Charlie ne s'était jamais imaginée jouant ce nouveau rôle que la vie lui présentait... celui d'une fille laide. À cause de cela, elle détestait la vie, le hasard, et bientôt, elle en était persuadée, elle détesterait la beauté et la trouverait même déplacée.

Depuis qu'elle était hospitalisée, Charlie refusait toute visite, ne tolérant que son père et sa mère, et pas tous les jours. Elle savait que Jean-François était plusieurs fois passé la voir et prenait régulièrement de ses nouvelles. La visite des autres se faisait plus rare. La jeune fille se demandait souvent si quelqu'un avait informé Noémie de la situation, de son accident, et si c'était le cas, pourquoi n'avait-elle pas cherché à la voir ? Quoi qu'il en soit, elle avait décidé qu'elle vivrait dorénavant dans un monde de solitude, car elle ne reverrait plus jamais ses amis : il était hors de question que quiconque la voie ainsi.

La solitude deviendrait maintenant son lot quotidien, elle qui l'avait toujours repoussée.

Seule, debout à la fenêtre de sa chambre qui donnait sur un jardin en fleurs, Charlie pleurait doucement. Les larmes qui inondaient ses joues lui faisaient mal, probablement à cause du sel qu'elles contenaient. Elle n'entendit pas la porte s'ouvrir, ni même les pas qui se glissaient dans sa chambre. Mais soudain, elle sentit une présence. Sans se retourner, Charlie demanda qui était là.

– C'est moi, Jean-François...

La jeune fille se mit à trembler comme une feuille, elle ne voulait pas qu'on la voie ainsi, et surtout pas lui.

– J'ai dit que je ne voulais voir personne... Va-t'en, je t'en prie...

Le jeune garçon voulut se rapprocher d'elle, mais Charlie aperçut son approche dans la vitre qu'elle fixait. D'un geste de la main, elle lui fit signe de s'arrêter.

– Ne va pas plus loin, je te l'interdis...

– Mais enfin, Charlie, je suis venu te voir, te parler, savoir comment tu vas ?... Ça fait plus de deux semaines que je viens régulièrement ici demander de tes nouvelles, et chaque fois on me dit que tu ne souhaites voir personne... Et moi, si j'ai envie de te voir, je fais quoi ?

– Je ne vais pas bien, Jean-François !... Tu dois comprendre que je ne veux voir personne, c'est mon droit, non ? Et d'ailleurs, j'en ai rien à faire que tu t'inquiètes pour moi... Ça, c'est ton problème ! Moi, j'ai assez des miens !

– Encore une fois, tu ne parles que de toi... C'est toujours toi, toi et toi... Les autres ne sont là que pour meubler tes journées, pour te désennuyer !

– Eh bien, maintenant, ça va changer, tu peux en être sûr... Plus jamais les autres ne meubleront mes jours. Dès maintenant, ma vie se déroulera dans des lieux inhabités, sans âme, vide d'amour...

Jean-François ne comprenait pas de quoi Charlie parlait, et tout ce symbolisme commençait à lui tomber sur les nerfs. Sans lui donner d'autre occasion de l'empêcher de s'approcher, le jeune homme se retrouva en une enjambée derrière elle, posant sa main sur son épaule. En un mouvement rapide, Charlie se dégagea pour aller se réfugier dans la salle de bains, continuant à lui cacher son visage. Jean-François tambourinait sur la porte.

– Ouvre ! Ne sois donc pas ridicule... Qu'as-tu à cacher ? Montre-toi, ce ne doit pas être si terrible.

– Tu veux parier ? lui lança Charlie à travers la porte. Va-t'en et ne reviens plus, si tu es un ami...

– Écoute, Charlie, je vais partir puisque c'est cela que tu souhaites, mais avant je veux te dire que quel que soit ton problème, tu restes à mes yeux une amie précieuse... Même si tu n'es plus la même qu'avant, tu dois savoir que ce n'est pas ta beauté qui faisait que je t'aimais, mais toi. Tu ne pourras pas toujours te cacher, tu sais ; un jour prochain, il faudra bien que tu sortes. J'espère qu'un de ces jours tu me feras assez confiance pour te montrer à moi telle que tu es maintenant. Je demeure ton ami, Charlie, ne l'oublie pas.

– Tiens, vas-y doucement ! Assieds-toi là et ne bouge pas. Je vais aller chercher ta valise dans l'auto, je reviens tout de suite.

Robert déposa un doux baiser sur le front de sa fille, avant de disparaître en courant vers l'extérieur.

Charlie regardait sa chambre, elle était telle que le jour où elle l'avait quittée pour cette fin de semaine d'enfer qui allait mettre sa vie en l'air. Chassant ses pensées noires d'un mouvement de la main, la jeune fille se leva lentement pour se diriger vers la porte-fenêtre. Hésitante, elle demeura à distance : « Et si elle était à sa fenêtre ? Non, il ne faut pas qu'elle me voie ainsi... Pourtant, j'ai tant besoin de toi, si tu savais... »

– OK ! Ta mère va arriver, elle est partie faire quelques courses à l'épicerie, qu'allons-nous manger maintenant ?... Ah, tiens, pendant que j'y pense : tu as une liste incroyable de messages sur la petite table dans le salon... et tu as reçu des fleurs...

Sans attendre, Robert disparut pour revenir les bras chargés d'un énorme bouquet de fleurs sauvages et d'une pile de petits papiers sur lesquels des noms accompagnés de messages personnels de prompt rétablissement étaient griffonnés. Heureux de pouvoir montrer à sa fille que beaucoup de gens l'aimaient, Robert attendait une réaction de Charlie, mais celle-ci ne vint pas.

– Ça ne te fait rien ? Tous ces gens te font savoir qu'ils sont avec toi et qu'ils t'appuient... et toi, tu t'en moques !

– C'est parce qu'ils ne m'ont pas encore vue ! Voilà tout... ils espèrent être invités à voir le spectacle de la pauvre Charlie défigurée. J'entends déjà les commentaires : « Quel dommage, elle était si belle ! Quel stupide accident... Elle avait tout pour réussir, mais maintenant... »

Il y avait tellement d'amertume dans ses paroles que Robert en était bouleversé. Depuis cette horrible catastrophe, il ne pouvait qu'être d'accord avec ce que lui disait sa fille. Bien sûr que c'était affreux que son enfant chérie subisse cette atrocité ; elle avait été si belle et, maintenant, elle avait la moitié du visage mutilé ! Comment la vie pouvait-elle être aussi injuste ?

Ce qui peinait le plus le père de Charlie, c'était la sévérité du regard que sa fille posait maintenant sur elle. Elle avait tellement changé depuis l'accident... Elle était beaucoup plus grave. Toute sa naïveté avait disparu, toute sa joie de vivre, tout son entrain ; Robert savait fort bien que plus jamais elle ne les retrouverait. Pourtant, un jour prochain, Charlie finirait par accepter ce à quoi elle ressemblait maintenant... mais plus jamais elle n'aurait son éclat de rire enjoué et charmeur !

Elle aimait tellement séduire les autres, il fallait que tout le monde soit sous son charme, sinon elle n'était pas heureuse. Elle avait soif d'amour, mais dorénavant, Robert en était persuadé, elle ne serait plus jamais satisfaite !

Charlie voulut voir de nouveau si sa voisine était là, si ses stores étaient ouverts, mais elle s'écarta rapidement de la fenêtre : Jean-François se dirigeait vers chez elle.

Elle voulut prévenir son père de dire au garçon qu'elle ne voulait voir personne, qu'elle était fatiguée et qu'elle se reposait, mais déjà elle entendait la voix du jeune homme conversant avec Marie-Ève, qui arrivait en même temps.

Prise de panique, Charlie ferma la porte de sa chambre. Il ne devait pas entrer, il ne devait pas la voir. Soudain, on frappa.

— Ma chérie, tu as de la visite, lança Marie-Ève à travers la porte.

— Je suis trop fatiguée, je voudrais me reposer...

— Cette fois-ci, tu ne réussiras pas à me faire partir, je te préviens... avertit Jean-François. Je resterai devant ta porte jusqu'à ce que tu te décides à sortir !

La jeune fille entendit sa mère proposer au jeune homme de boire quelque chose. Agacée, Charlie cria à travers la porte.

— Faites-le sortir d'ici, il n'a rien à y faire, je ne veux pas le voir ! Je le répète, je ne veux voir personne !

Mais elle ne fut pas longue à regretter ce qui se passait, il fallait qu'elle sorte, car elle avait une envie urgente de se rendre aux toilettes. Cette situation eut pour effet de la faire sourire.

– Je vais sortir... Je te demande, Jean-François, de tourner le dos à ma porte et de me promettre de ne pas te retourner lorsque je serai dehors.

Charlie ouvrit lentement la porte, jetant un coup d'œil vers Jean-François, qui attendait, obéissant, le dos tourné à elle. Lorsqu'elle revint vers sa chambre, le jeune homme lui dit, tout en demeurant le dos tourné comme elle lui avait demandé :

– Allons-nous enfin cesser de jouer à cache-cache ?

– Tu m'excuseras, mais moi, je ne joue à rien du tout... Je t'ai dit que je voulais rester seule...

– Charlie, je ne suis pas venu ici pour voir l'état de ton visage, je suis venu te voir toi, la fille que je connaissais... mon amie.

– Elle n'existe plus, Jean-François... Oublie-la, c'est mieux ainsi...

– Mais qu'est-ce que tu sais, toi, de ce qui est mieux pour moi ? Tu te prends pour qui ? (Jean-François s'était retourné.) Penses-tu être la seule personne à souffrir de cet accident ? Tu ne t'imagines pas tout le chagrin que j'ai pu ressentir en te sachant à l'hôpital le visage à demi défiguré... Je ne souffrais pas uniquement pour moi, mais aussi pour toi, car je savais tellement bien à quel point tu devais être malheureuse. Lorsque je t'ai vue tomber de la falaise, mon cœur s'est arrêté de battre ! C'était horrible ! J'étais persuadé que tu étais morte... Mais maintenant que tu es là, bien en vie, la seule chose que je souhaite, c'est te consoler, te prendre dans mes bras pour te dire à quel point tout ceci est navrant, mais que la vie continue, et que tu es toujours Charlie, la Charlie que j'aime, et rien ne pourra changer cela, même si ton visage n'est plus le même !

Charlie ne se retourna pas vers le jeune homme comme l'avait escompté, mais elle lui dit avant de disparaître dans sa chambre :

– Il me faut encore du temps, je ne suis pas prête à me montrer à ceux que je connais et surtout pas à toi... Si tu m'aimes comme tu le prétends, alors sois patient, je te ferai signe.

Lorsque Jean-François se retrouva dehors, il leva les yeux vers la porte-fenêtre donnant sur la chambre de Charlie. Il percevait sa présence à travers les ombres que projetait l'immense arbre d'en face. Il lui fit un signe de la main sans savoir si réellement elle était là, et sur ses joues coulaient des larmes.

La jeune fille surveillait sa voisine d'en face avec le plus grand intérêt. Noémie avait relevé ses stores, et Charlie espérait que celle-ci se montre à elle. Elle n'eut pas à attendre bien longtemps, Noémie était là et l'observait. Lorsque leurs yeux se rencontrèrent, Charlie en éprouva une immense satisfaction.

« Elle est là, fidèlement là ! Je suis heureuse de te revoir, ma chère Noémie. Comme autrefois, tu m'observes et moi, je joue le jeu. Ton regard me fait tellement de bien, si tu savais. Comme j'aimerais te faire comprendre que je souhaite que tu viennes à ma rencontre... Toi seule peux m'aider. Ton regard saura me réconforter, il a toujours eu tellement d'impact sur mes choix et dans ma vie. Et je sais que lorsque tu me regarderas, ce ne sera pas ce visage déchiqueté que tu verras, mais moi, la belle Charlie, celle que tu admirais tant. Ton regard me redonnera confiance, il saura me prendre par la main et me ramener vers les autres. Je me verrai en toi comme autrefois ! Chère amie, comme j'ai hâte de te revoir, de me revoir ! Reviens-moi vite. »

Chapitre 8

◦◦◦◦◦◦◦◦◦◦◦◦◦◦◦◦◦◦

Depuis son retour chez elle, Charlie vivait presque dans l'obscurité totale. Ses rideaux étaient maintenus fermés en tout temps et ne laissaient filtrer qu'une faible clarté. Mis à part la minuscule lampe sur sa table de chevet, rien d'autre n'était source de lumière.

Ses parents avaient pourtant tout fait pour la convaincre de reprendre goût à sa vie, à ses amis et à ses sorties, mais Charlie rétorquait sans aucune autre explication que sa vie passée était du passé !

D'ailleurs, plus les jours défilaient et moins la jeune fille recevait de nouvelles de ses anciens copains. Leur amitié s'étiolait

◦◦◦◦◦◦◦◦◦

un peu plus chaque jour, probablement parce que Charlie refusait toujours de les recevoir et qu'elle ne retournait même pas leurs appels. Tous commençaient à se lasser de son indifférence. Combien de fois déjà avaient-ils proposé à Charlie de se joindre à eux pour une sortie ou encore, plus simplement, de la rencontrer chez elle ? Chaque fois, elle avait refusé, faisant transmettre le message par l'un de ses parents.

Le seul qui ne se décourageait pas était Jean-François, et Charlie lui en était profondément reconnaissante, bien qu'elle ne lui en dît rien. Avec lui, elle continuait d'afficher sa nouvelle personnalité si austère ; bien souvent, ils se parlaient à travers la porte de sa chambre et jamais encore il n'avait vu le visage de Charlie. Chaque fois qu'ils se parlaient, le jeune homme gagnait un peu plus la confiance de la malheureuse.

Mais aujourd'hui, samedi, Charlie quitta enfin son peignoir défraîchi qu'elle avait sur le dos depuis qu'elle était revenue de l'hôpital pour enfiler un grand pantalon de coton bleu maintenu à la taille par un cordon et un t-shirt de la même teinte. Elle brossa ses cheveux, retrouvant ainsi ses gestes d'antan. C'était la première fois depuis son accident que Charlie s'attardait sur son apparence et qu'elle faisait un effort pour s'arranger un peu.

Dans quelques minutes, Noémie allait venir la voir, celle-ci avait appelé Marie-Ève pour l'informer de sa visite. La mère allait l'informer du désir de sa fille de ne voir personne lorsque Charlie prit le téléphone pour lui parler. Madame Mercier resta surprise et, sans que Charlie ne puisse la voir, elle versa quelques larmes sur cette bonne nouvelle. Enfin, sa fille se décidait à voir quelqu'un ! Cela faisait maintenant deux mois que Charlie n'avait vu personne, à part quelques médecins et ses parents, refusant, affirmait-elle, de se donner en spectacle. Marie-Ève croisa les doigts : « Pourvu que cette rencontre l'incite à voir ses autres amis ! »

La sonnette d'entrée se fit entendre. Charlie, toujours dans sa chambre, avait prévenu sa mère d'amener Noémie auprès d'elle dès que celle-ci arriverait.

Lorsque la jeune voisine entra, il lui fallut quelques minutes avant que ses yeux ne s'habituent à la pénombre de la pièce. Noémie ne se sentait pas mal à l'aise de se retrouver ainsi dans le noir, elle ne connaissait que trop cette façon de se cacher des autres, elle avait si longtemps pratiqué cela par le passé.

Derrière elle, l'ombre de Charlie se dessina.

– Avant de te retourner, je veux que tu attendes que je t'en donne le signal. Je suis très heureuse d'avoir ta visite, ça fait si longtemps que j'attends cet instant.

– Je voulais venir avant, mais Jean-François m'a dit que tu ne souhaitais voir personne, j'ai donc respecté ton souhait.

– Effectivement, je n'étais pas prête... j'ai tellement changé, Noémie, c'est horrible. Cet accident de malheur m'a défigurée, je suppose que tu es au courant ? Ma vie est maintenant gâchée...

– Je suis si désolée de ce qui t'arrive ! Charlie, j'aimerais te voir.

– Avant, je veux que tu saches que je suis désolée de ce qui s'est passé chez toi le soir où tu avais organisé cette petite fête à mon intention. Mon comportement fut stupide et mes accusations, de la pure jalousie. Mais je voulais tellement te garder pour moi que de voir les autres t'apprécier m'a mise de mauvaise humeur. Je ne voulais pas te partager, car tu m'étais essentielle ; ce que je voyais dans ton regard, lorsque tu me regardais, était devenu une drogue. Maintenant, ce que je vais voir dans ton regard sera totalement différent... Ce n'est plus de l'idolâtrie que je vais y lire, mais du dégoût. Je vais enfin me voir telle que je suis devenue, tes yeux vont devenir mon miroir, car ils vont refléter ce que les autres vont penser en me voyant.

Noémie se retourna lentement pour faire face à celle qu'elle avait tellement aimée, celle qu'elle avait trop admirée. La jeune voisine eut un mouvement de recul : Charlie la perfection n'était plus désormais qu'une moitié de visage, l'autre était devenue son négatif, comme si un dieu avait décidé de détruire l'argile dont il s'était servi pour produire ce visage parfait. Cette moitié n'était plus maintenant qu'un amas de chair désordonné. Charlie portait sur son visage les deux faces de l'esthétisme, le beau et le laid.

La jeune voisine d'en face plongea ses yeux brun clair dans le regard encore lumineux, bien que malheureux, de son amie. Elle était maintenant son égale, Charlie avait perdu son titre de déesse... elle était devenue humaine, tout comme elle. La jeune voisine en fut profondément touchée, et cette constatation l'attrista, son modèle n'était plus. Quelque chose en elle venait de disparaître, venait de mourir.

Noémie s'approcha de celle qu'elle avait tant admirée autrefois pour la prendre dans ses bras. Ainsi enlacées et sans dire un mot, les deux jeunes filles pleurèrent longtemps ce qu'elles avaient toutes les deux perdu.

Une fois remises de cette émotion, elles s'éloignèrent l'une de l'autre pour redevenir ce qu'elles étaient. Charlie ne pouvait que constater à quel point sa voisine avait changé, elle paraissait tellement plus sûre d'elle maintenant. Cette assurance se reflétait dans son attitude plus déterminée et son maintien plus fier. Noémie affichait un bien-être que Charlie enviait. Elle était devenue jolie ! Comme le hasard pouvait être cruel !

Noémie expliqua à Charlie que depuis deux mois maintenant elle consultait un psychologue et que celui-ci l'avait grandement aidée à se connaître elle-même. Elle gagnait beaucoup dans ces visites hebdomadaires, et c'était à sa mère qu'elle le devait. Si celle-ci ne l'avait pas obligée à consulter le docteur Manseau, jamais elle ne serait devenue ce qu'elle était maintenant. Noémie lui parla aussi de Jean-François et de l'attitude que Charlie avait à son égard. Elle l'informa que le jeune homme était très malheureux d'être si impuissant à pouvoir l'aider. L'accident de la jeune fille l'avait énormément traumatisé, et tant que celle-ci continuerait à le repousser, il se sentirait lamentable à son égard...

« Je me retrouve maintenant vraiment seule, plus personne pour m'aimer ! Je pensais à tort pouvoir me retrouver dans son regard, mais rien, il était vide de ce qui avait été. Noémie ne m'admire plus, elle n'a plus besoin de moi. Vers qui vais-je pouvoir me tourner ? Ce malheur est trop lourd, et je n'arrive pas à y faire face. Ma vie me paraît maintenant si effrayante. Les regards des autres me terrorisent. Pourquoi la vie a-t-elle été si méchante envers moi ? Pourquoi moi ? La solitude sera dorénavant ma seule compagne, la seule qui demeure fidèle, jamais de faux bonds, jamais de surprises ! »

– Je ne pensais pas te revoir !

Le ton sur lequel Charlie accueillit sa voisine laissait clairement comprendre à son interlocutrice l'état dans lequel elle se trouvait.

Assise dans le noir, revêtue de sa fameuse robe de chambre, Charlie ne devait pas s'être lavée depuis au moins une dizaine de jours. Il planait dans la pièce une odeur nauséabonde ; Charlie n'avait pas ouvert les fenêtres depuis des semaines, sans compter le nombre de fois qu'elle avait mangé dans sa chambre en laissant les assiettes s'accumuler pendant des jours.

Ses parents, découragés, ne savaient plus très bien comment réagir et avaient tendance à laisser leur fille faire ce qu'elle voulait. De temps à autre, ils entraient dans son refuge et entreprenaient de tout nettoyer, forçant même Charlie à prendre un bain.

– C'est épouvantable, l'odeur qui règne ici...

– Je ne t'ai pas invitée, que je sache, si tu n'es pas contente, je ne te retiens pas !

Noémie se souvenait d'être plusieurs fois passée par là. La dépression était une chose sournoise, elle s'infiltrait en vous sans vraiment crier gare. Sans se laisser influencer pas ces remarques, Noémie se dirigea vers la porte-fenêtre, qu'elle ouvrit toute grande.

– Peut-être n'as-tu pas le goût de me parler, mais moi, oui, et je n'ai pas envie de suffoquer avant d'en avoir fini avec toi. Premièrement, il faut de la lumière dans cette chambre.

D'un geste théâtral, Noémie ouvrit les rideaux, inondant la pièce d'une pure clarté. Charlie ferma les yeux, qui n'étaient plus habitués à tant de lumière, se leva et, à tâtons, se dirigea vers une partie plus reculée de sa chambre pour s'y cacher. De la main, elle cachait du mieux qu'elle le pouvait son visage.

– J'ai emmené avec moi quelqu'un qui désire te voir depuis des semaines...

Cette fois Charlie se redressa, incertaine de bien comprendre ce que lui voulait cette satanée voisine.

— J'ai dit que je refusais de voir quiconque. Mêle-toi de tes affaires, veux-tu, et sors d'ici !

— Ce n'est pas de sa faute, j'ai beaucoup insisté...

Adossée à la porte de sa chambre, Charlie reconnut la voix de Jean-François.

— Non, sors d'ici ! (La jeune fille se laissa tomber par terre en pleurant.) Laissez-moi tranquille, je vous en prie !

Mais déjà le jeune homme était à ses côtés pour l'aider. Tentant du mieux qu'elle le pouvait de se cacher, Charlie se dégagea de son étreinte. D'une voix grave et sans réplique, elle s'écria :

— Laissez-moi, sortez ! Je ne veux voir personne ! Qu'est-ce que vous croyez, que je me terre ainsi par coquetterie ?

Fichez-moi la paix... LA PAIX !... Dehors, allez-vous-en !

Noémie et Jean-François se regardèrent tristement. Le jeune homme lança un nouveau regard vers celle qu'il avait autrefois aimée et qui gisait là, seule par terre, ne désirant rien d'autre que de retrouver sa solitude. Il avait insisté, avait forcé sa porte, mais il comprenait que tout cela était en vain. Elle ne voulait pas de son aide, elle ne désirait rien d'autre qu'être oubliée. Alors qu'elle avait si longtemps couru après tous les regards ! Sans rien dire, Jean-François quitta les lieux.

Sa jeune voisine s'approcha d'elle pour s'agenouiller à ses côtés.

– Quel gâchis ! Tu tournes le dos à tous ceux qui t'aiment sans te demander s'ils souffrent eux aussi. J'ai été comme ça, moi aussi, jusqu'au jour où je t'ai rencontrée. Je me souviendrai toujours de cette merveilleuse journée où ma vie a été

complètement transformée... par ta faute !
Avant toi, j'étais laide, sans vie, sans intérêt,
et il me semblait que personne ne me
remarquait. J'étais invisible pour tous les
regards que je croisais. Grâce à ta gentillesse
et à ta grandeur d'âme, je suis devenue
une tout autre personne. C'est comme
si une nouvelle fois je naissais. Avant,
je ne pouvais que t'admirer à travers les
fenêtres, je m'amusais à t'inventer une vie
et je m'imaginais faire partie de cette vie.
Je te parlais, nous avions de vraies discussions, tu me donnais ton avis. Tu étais ma
réalité, du moins je le supposais, jusqu'au
jour où tu m'as abordée en face de chez
nous, juste au moment où j'allais rentrer !
Avant, ma vie était laide, tout comme moi,
et personne n'arrivait à communiquer avec
moi. Je vivais dans ma bulle, je fantasmais
sur la vie que je n'avais pas. Être laide
n'est pas chose facile, surtout avec toutes
ces publicités, ces films qui nous montrent

constamment de jolies pouponnes aux mensurations impossibles à moins d'être passée au bistouri ! Et toi, tu es là, seule, face à ta télé, à te demander pourquoi la vie est ainsi faite. Car tu sais très bien que même si tu avais recours à la chirurgie plastique, jamais tu n'égalerais ces filles. La partie était perdue d'avance ! Puis, un jour, tu fais la rencontre de nouvelles personnes qui se mettent à croire en toi. Leur amitié devient le tremplin de ta nouvelle vie. Ils te font comprendre, par leur simple présence, à quel point ils tiennent à toi, donc que tu es quelqu'un. Tu perçois dans leurs yeux ce que tu as toujours envié chez les autres. Tu reprends confiance en la vie. Et tout cela, c'est à toi que je le dois, Charlie. Si je te parle de tout ceci, c'est pour te faire comprendre que sans ses amis, sa famille et les gens qui nous aiment, on n'est rien. Charlie, ne repousse pas l'aide que veulent t'apporter les gens qui tiennent à toi ! C'est aussi, et tu peux me croire, pour eux qu'ils le font. La laideur est pire quand on est seule. C'est contre elle que tu dois te battre et non pas contre nous...

Noémie marqua une pause, Charlie en profita pour lui demander :

– Tu as terminé ?

La jeune voisine acquiesça.

– Parfait, maintenant, laisse-moi seule. Tes beaux discours, tu peux les garder pour toi !

Noémie se leva pour se diriger vers la porte d'entrée de la chambre de Charlie. Elle avait pourtant pensé que cette petite intervention aiderait peut-être son amie à se décider à se battre. Mais il semblait que ce n'était pas le cas.

Désolée, elle se dirigea vers la sortie. Avant de partir, elle jeta un œil en direction de la chambre, mais rien ne semblait lui dire de revenir sur ses pas. Elle pensa qu'elle avait fait tout ce qu'elle pouvait et que, maintenant, il n'en tenait qu'à Charlie de se reprendre en main. Si elle avait besoin de son amie, elle saurait où la trouver. Tous lui avaient tendu la main ; chaque fois, elle leur avait tourné le dos. Noémie se dit que Charlie finirait bien par reprendre le dessus : « Et nous serons tous là pour t'aider ! »

Chapitre 9

L'automne était déjà bien installé, et les arbres étaient presque tous dénudés. Les matins se couvraient de givre, et l'on prévoyait la première chute de neige pour la fin de la semaine. Debout à sa fenêtre à contempler la grisaille automnale, Charlie observait à la dérobée ce qui se déroulait dans l'appartement de sa voisine. Depuis plus d'une semaine, elle suivait sans comprendre les va-et-vient incessants de Noémie et de sa mère.

Les deux jeunes filles ne se voyaient plus beaucoup depuis ce fameux discours que lui avait tenu Noémie. Quant à Jean-François, il n'était jamais revenu la voir depuis cette même journée où elle lui avait hurlé de la laisser seule.

À part ses parents, personne ne venait plus la voir : « Rien d'étonnant là-dedans, lui avait affirmé sa mère la veille, tu as chassé tout le monde ! À force de leur dire de te laisser en paix, ils ont compris le message ! »

La jeune fille trouvait que sa mère avait beaucoup vieilli depuis le terrible accident. Le comportement de ses parents avait aussi beaucoup changé, et souvent ils se disputaient à son sujet. Robert pensait qu'il serait profitable pour tout le monde que Charlie consulte un psychologue, mais Marie-Ève était contre, pensant que sa fille était assez forte et qu'elle finirait bien par s'en sortir seule, qu'il lui fallait du temps !

La sonnerie du téléphone la fit sursauter, il était rare maintenant que celle-ci se fît entendre : plus personne ne téléphonait chez les Mercier. Charlie entendit sa mère informer l'interlocuteur que sa fille était bien là et qu'il lui ferait plaisir de la recevoir. Intriguée, elle savait qu'elle n'aurait pas à attendre bien longtemps pour savoir à qui parlait sa mère.

Le regard toujours orienté vers l'extérieur, Charlie sentit Marie-Ève entrer dans sa chambre.

– Habille-toi, ma chérie, tu as de la visite ! Noémie vient de téléphoner : elle veut te voir et arrive dans cinq minutes...

– Alors ? Est-ce que je dois mettre une robe de soirée parce que mademoiselle Dumont vient me voir ?

Marie-Ève haussa les épaules.

– Tu pourrais faire un effort... Tu es exaspérante !

La sonnette d'entrée coupa court à cette conversation pleine de sous-entendus. Si Marie-Ève ne quittait pas la pièce dès maintenant, il était certain qu'elle finirait par s'en prendre à Charlie. La jeune fille les poussait tellement à bout, elle et Robert, qu'ils n'en pouvaient plus.

Marie-Ève savait fort bien que, bientôt, il leur faudrait prendre une décision : Charlie ne pouvait continuer à vivre ainsi, enfermée dans le noir, refusant de voir le monde autour d'elle !

Sans plus attendre, elle fit entrer Noémie dans la chambre de sa fille, avant de disparaître dans la cuisine.

– Que veux-tu ? demanda d'emblée Charlie.

– Toujours aussi aimable ! Je vais donc être aussi directe. Je viens te dire au revoir. Je pars vivre en Ontario chez ma sœur, je poursuivrai mes études là-bas !

Noémie se tut, attendant de voir la réaction de sa voisine. Celle-ci demeurait sans bouger à sa fenêtre. Il se passa quelques minutes avant que Charlie ne lui réponde :

– C'est ta mère qui a eu cette brillante idée ? J'imagine que oui, elle ne veut sûrement pas que sa fifille demeure en face d'une folle... ou encore aux côtés d'un monstre. La laideur ne fait pas partie des maladies contagieuses !

– À qui crois-tu apprendre cela ? J'en ai marre de tes sarcasmes. Je pars et je suis très contente de m'éloigner de toi. Tu tournes en rond dans ta chambre, tu en veux à la terre entière de ce qui t'est arrivé, mais, ma vieille, il serait temps que tu te prennes en main avant de devenir vraiment folle. Ça fait combien de temps que tu n'as pas mis le nez dehors ? Tu rumines seule dans ton coin, te plaignant que personne ne t'aime. Mais c'est toi qui as fait le vide autour. Ta hargne n'a épargné personne, et tu es en train de détruire tes parents. N'as-tu pas fait assez de victimes ? Peut-être un jour nos routes se recroiseront-elles. Honnêtement, je l'espère, car malgré toute cette rancœur qui te ronge, je ne peux m'empêcher de t'aimer. À bientôt, Charlie, et fais attention à toi !

Noémie attendit quelques secondes que son amie se retourne pour lui dire au revoir, avec l'espoir que celle-ci lui montrerait un peu d'affection, comme elle le faisait autrefois. Mais rien : Charlie demeurait prostrée devant sa porte-fenêtre, imperturbable !

Sans plus attendre, Noémie sortit de la demeure pour passer sous la fenêtre de la jeune fille. Elle s'arrêta pour regarder vers la chambre de Charlie, espérant croiser une dernière fois son regard, mais l'adolescente n'était plus là, et ses rideaux étaient fermés !

Le gros camion de déménagement avait de la peine à reculer dans la rue exiguë pour venir se placer devant la porte d'entrée de Noémie. La jeune fille était dehors et discutait avec Jean-François, qui était venu lui dire au revoir. Noémie lui parla de sa dernière visite chez Charlie, et le garçon affichait une triste mine en entendant parler de la jeune fille :

– Crois-tu qu'elle s'en sortira un jour ? demanda-t-il à Noémie.

– Je l'espère ! Je l'espère, tu sais ! Elle est si malheureuse et si frustrée de la vie. Ce qu'il lui faut, c'est une aide professionnelle, mais elle ne veut pas en entendre parler... Ses parents sont au bout du rouleau, et je les comprends... Je la vois cinq minutes, et elle me met hors de moi !

– J'aurais tellement aimé l'aider, mais elle a toujours refusé mon aide. Elle ne m'a même jamais assez fait confiance pour se montrer à moi. Pourtant, je pensais que nous étions très proche l'un de l'autre, surtout après s'être confiée à moi au chalet de Sam, la veille de son accident. Mais je me demande à quel point elle était franche...

– Charlie a toujours été une fille franche, tout dépendait de la façon dont elle manipulait la vérité. Quand elle était en cause, je devrais dire : quand sa beauté était en cause, elle devenait tel un vampire assoiffé de sang, elle était affamée de compliments et, pour cela, elle était prête à nous dire tout ce que nous désirions entendre. Elle a toujours manipulé les gens autour d'elle dans le seul but de se faire aimer, admirer de tous. Sa beauté était le moteur de sa vie, sa motivation. Elle l'a perdue, elle ne fait maintenant que survivre, sans plus aucune motivation.

Jean-François resta jusqu'au départ de Noémie. Après de longues embrassades, elle monta dans l'auto de sa mère pour disparaître, laissant le jeune homme seul. Celui-ci leva la tête vers la chambre de Charlie, et il lui sembla que le rideau venait de bouger. Il resta quelques secondes à observer attentivement la fenêtre, mais rien ne semblait remuer derrière. Haussant les épaules, Jean-François prit la direction empruntée quelques minutes auparavant par Noémie pour rentrer chez lui.

À la fenêtre, Charlie eut un mouvement pour l'appeler, puis elle se ravisa. Des larmes coulaient sur son visage mal cicatrisé. Noémie était partie ; dorénavant, la jeune fille serait à jamais seule. Elle sentait un vide immense s'installer en elle. L'enfer, elle en était persuadée, était ce qu'elle vivait depuis six mois. D'abord, cet accident lui arrachant la moitié de son visage, son si joli visage, et maintenant, la seule personne qu'elle aimait vraiment partait.

Déprimée, Charlie s'approcha de son miroir, qu'elle avait recouvert voilà déjà longtemps d'un grand morceau de tissu. D'une main hésitante, elle enleva le voile pour se découvrir. Elle se regarda attentivement, puis elle fixa son attention sur une photo qui était épinglée en travers du bas de la glace. Elles souriaient toutes les deux, bras dessus bras dessous, c'était quelque temps avant l'accident, quand tout était encore possible, quand la vie s'offrait à elles comme un fruit prêt à être dégusté. Le miroir lui renvoyait une image désolée, l'autre côté d'elle-même !

Charlie se tenait debout devant sa fenêtre, son regard immobile scrutait les habitudes des passants. Il était dix-sept heures, et la jeune fille connaissait toutes les allées et venues de la maison d'en face.

Tout le monde était bien rentré, mais elle attendait impatiemment quelqu'un qui, fidèle à ses habitudes, était encore en retard. Nerveusement, Charlie tapait d'un rythme saccadé ses doigts l'un à la suite de l'autre sur le carreau de la fenêtre.

– Encore en retard ! Mais que fait-elle ?

Aussitôt, le regard nerveux de la jeune fille s'immobilisa sur une silhouette qui se dirigeait vers l'immeuble.

– Enfin, te voilà ! Mais où étais-tu donc passée ? Je commençais à m'inquiéter...

Charlie saisit une chaise, qu'elle approcha de sa porte-fenêtre avant d'en tirer les rideaux.

– Alors, as-tu passé une belle journée ? Comment étaient tes cours, dis-moi tout...

Dans la maison d'en face, Anne savait fort bien que sa voisine l'épiait, elle avait découvert le petit manège de Charlie depuis un bon moment déjà. Sur le coup, elle avait voulu prévenir la police, mais bien vite elle avait compris que sa voisine n'était pas dangereuse et, secrètement, la jolie jeune fille n'était pas contre l'idée de faire l'objet de cette idolâtrie secrète. Elle trouvait cela très valorisant ! Cette étrange situation lui apportait une douce sensation.

Volontairement, la jeune fille ouvrit la fenêtre pour envoyer un sourire en direction de Charlie.

Cet ouvrage a été composé en bembo
corps 13/16,3 et achevé d'imprimer au Canada
en mai 2005 sur les presses de
Quebecor World Lebonfon, Val-d'Or.